WORD SEARCH

Jumbo Word Search
Published by Bendon Publishing International, Inc.

ALL RIGHTS RESERVED

© 2009 Bendon Publishing International, Inc
Ashland, OH 44805
www.bendonpub.com

Measurements

```
P X Y L S J D D B O I R G V H Q D W F E
X O I H C O W R J E V W H X C R T O N B
P T O U N C E E L R B U M O N D U O U O
H X W Y J X D T E S F A K B U D R S E W
S K X A P E O E M J R P I I L R H U X L
R H D Q O O H M F G N B V J T E M R D C
U X N A U W P O O K R T N Z L Q C A C N
W V A W G E B L K Y I N C H R X Q E K K
B D H G C X I I C U Y T Y G O G W F O Z
I X V K A K B N I B I H K V D O S V D
T A F C V L J D R A Y R E K C O I T N N
R X N G W J L C S E C O N D T T U U X B
J U N L S S F O L V W D O K V R O Q O O
R E T U N I M D N U S O T A S P O N X X
E E Q R S X I N L F I Y S Y J C M J I Q
R L T R A U Q L G C E N T I M E T E R T
B G I I E G B E I O E A L N R P K M H K
F R F M L M Y T G S J P Q D L K N Y F B
B B Y R S Q R L M I L L I M E T E R V I
Q Q H D G C M F F P T F B X T Q N Q K O
```

BUSHEL	**HOUR**	**MILE**	**POUND**
CENTIMETER	**INCH**	**MILLIMETER**	**QUART**
FOOT	**KILOGRAM**	**MINUTE**	**SECOND**
GALLON	**KILOMETER**	**OUNCE**	**STONE**
HAND	**LITER**	**PECK**	**YARD**

Mythology

```
E S W U M O S N E Q O C E A N U S E V L
I D E G K R O A P X Z W K F U R F J O N
L Y L I X Z I E H I U B C I U R M V K Y
Z S X L R T T T O Z U D K Q B U A H M V
N S I V A U J Z B G W Y L J B Z E N T K
M F M R Y S F F O X Y G I O S L I P U G
H Z G H J P B H S V B H S J I E G T R S
J A N U S U M V I M K I M O I F R C Z S
P O V T V U U C F H Q Q S O A H G E E G
Y R Y E V T Z F L V F O E Z N P B M C D
V N C R M H T Q O K I T K M P Q Z M T B
O R T R N T L M R L Z U A H J E T Z S T
P F W A W A T L A S V L C Y V G U V E F
K Z Z E T Q G W C H N P S P B I P Z S D
U R X G L I B E R T A S Z N Q N X E V U
Y F I L Z K X H Y G E I A O D T D R P S
Z V W Z E L A N U L W T V S Z I A E A C
V V C M G W C K X A V B Z Y F O J L K U
J P K A W N E A S U M F V A S G U K K E
A U L N A P A E R E V Q R B Q S H X G V
```

ATLAS	GRATIAE	LIBERTAS	PHOBOS
CERES	HELIOS	LUNA	PLUTO
FIDES	HYGEIA	MUSAE	SALUS
FLORA	HYPNOS	OCEANUS	TERRA
FURIES	JANUS	PAN	URANUS

Nocturnal Critters

```
F L R S G P T B M C U B R W S P Y U H L
B S K P O T Z M D L G S U A F U K F P A
I U E N D B C H V E O T K S Q I I F O S
A G L D U E E N R J R A J R H J W O D X
L A Q E X K W P A T F B Y E N B U I L H
K R D V P G S J U E L K G Z B A S K L
Z G D K X B S Q T M E L K D X W J B B G
S L M O T H I E H C R I A A T X O X Y R
E I T P D G E J G Y T W N B X M W I H Z
T D U B M F V T I E R G E H A H C Y F
H E N C E A T U N F R O A T C M S N M C
E R L M N V S X N C L O R O N P S T O Z
D L H P P O T T O H E P O P B Z B C D I
G R T Y B D V O Q I L P O N J H K E V I
E F A R L D R G F F T I R Z N R E O T U
H O Y C U E Z I Y G B H A D O K H T S Y
O F S Y C T B N B E R W T A R L H D I N
G E I O M O A K S L G F C Z D W A Q A X
D X R A W U O E E O I H K U Y C J O B R
G G F X U L A N S W E O L V J J E D D W
```

BADGER	**HEDGEHOG**	**NIGHTJAR**	**SEA TURTLE**
BATS	**KANGAROO RAT**	**OILBIRD**	**SKUNK**
BUSH BABY	**KIWI**	**OWL**	**SUGAR GLIDER**
COCKROACH	**LOIUS**	**POTTO**	**TREE FROG**
FOX	**MOTH**	**RACCOON**	**WHIPPOORWILL**

Oceans & Seas

```
D O Y J A A E Q E T T A B N W G B C A C
O Y C O G R Y E I J X P T C A X V I V U
O X O E E J U A T C E I A L Z I Q G A D
A Y H D D K W Q H A W P I O A S D A J N
R R R Q A M U U L C H Z A S N N N N D G
T A C O E U C K I Q Z S I B I K T N I M
I R A R D K Q T C U T G Q A H S B I N R
C A C V C T L C O R A L S E C I G H C D
P B I H V A O I H B Z S K H A K D F J
W I I I B S R M S P M A V M T C E H K C
O A A E N B H V I E N Z T S U I K C N A
L N O N N W U E R O G J N T O T I Q Q R
L A Z J N A K C I P I M Q Y S A S H H I
E P V O K F E L T F B M I N O I C N Z B
Y M A X K O K G D V D L O K N R X U P B
H T W C M N X F E H V R T S A D C X M E
J R U I I L S D E A T N Z Y C A A V O A
C U I B X F O R B H Y C A S P I A N V N
C I S U O F I M O E U Y W L Q K P G T B
Y L O P B L A C K R K K B P G F T I R H
```

ADRIATIC	BALTIC	CORAL	NORTH
AEGEAN	BLACK	DEAD	PACIFIC
ARABIAN	CARIBBEAN	INDIAN	RED
ARTIC	CASPIAN	IRISH	SOUTH CHINA
ATLANTIC	CHUCKCHI	JAVA	YELLOW

Office Supplies

```
S T A M P S Q Z R R C M G M B Z P Y N P
M D C S U N J A W S E A O S L O U E H N
I X P A K I D V L R R T L U S Q Y T N F
R K A U Y R D B I I T E T E S O Z T K W
O V P V Q U G U C A B V T O N E F S B R
J L E T M B R P N H K J Q U L D P E L H
D E R D L B J P E C U W D P P B A A G E
H A C L R E T Y P G U D V R M M K R D J
O H L D Z R B V S B V A Z X A Z O S V D
R B I K U B Q S J R G K X I O K Q C E E
X E P V F A I E F S B F L J M B G V X D
U V P V Y N R F N S N T A I Q T T C C F
Y L S A S D T F O V F W N B R W O U Q N
N R C Z P A D H T V H B B U E B U B O I
W J U B M J G N E R O A V M L Z B H K J
S E Q J S F Q G P X T E L E P H O N E U
I M G F I L E C A B I N E T A G R R P X
V A G E P B D O D R O R C U T E K N Y N
Y E D A P K N I E N D E S K S I N F S E
R O G T M A W P M O C R E T N I K Z X Y
```

CALENDAR	FILE CABINET	NOTEPAD	PENCIL
CHAIR	IN BOX	OUT BOX	RUBBER BAND
COMPUTER	INK PAD	PAPER	STAMPS
DESK	INTERCOM	PAPER CLIP	STAPLER
DESK BLOTTER	MOUSE PAD	PEN	TELEPHONE

Olympics

```
W I Y G E K O R T S K C A B H N L C N A
K S R W B S U C S I D G Y O O R L D E U
E W B E V I D H G I H G C H J O A S L N
C H R O W V G H S R S K T D X N B P Y L
A X X N X V N C C E E A Q R Z L T W T P
R X B E D I Y E T Y R M T P X L E O S J
Y H K P W B N A L A N C W A L H K V E S
A G I Q U D K G M P X O E L L P S T E I
L I D P I S U Q W M R Q R K I G A O R C
E P L P D S S W R U D S J H H J B C F T
R K Y E O L M C Q J L K Q U N N Y A O B
R N E S G L P T D G C I B R W V A R U T
J P O K G W E P Y N S J T D O N T T B U
S A M L M U E V X O C U N L D Q T X B V
L K V C H O N C A L L M E E U E U Z W C
A E X E F T L F F U E P P S R X D V W W
C O U S L X A A N G L P N F X P I F G G
N S W K E I N I L J J T L K W O O O J S
L G M U A F N W R S G Y D S A U R W J O
G S I O Z N O L H T A C E D U V F M V C
```

BACKSTROKE   **DISCUS**   **HURDLES**   **RELAY RACE**
BASKETBALL   **DOWNHILL**   **JAVELIN**   **SKI JUMP**
BOXING   **FREESTYLE**   **LONG JUMP**   **SLALOM**
BUTTERFLY   **HIGH DIVE**   **MARATHON**   **SPEED SKATES**
DECATHLON   **HOCKEY**   **POLE VAULT**   **TRIATHLON**

On Your Toes

```
M V Q W O Y O T L X E L I E W E U I K W
I N P Z U S E V W U F F P B D X T K L B
T R P W S C M F X A X Y I L Z X E E A Y
N E U B A L L O N E Y V P E X J J R J A
E B Z L P C R C R S C G D R H K R C B R
M M A D A G I O Z I Q U Y M T I I O N C
E A V C C F D Q L C T L U U D E Y N H I
T C E J H T U V C I Z V R E G T L L B Q
T J W I S Y A A T Q S L F D Y M A L I Y
A E E I M N B T K U Q O G P M P R C A X
B V U N C R A M N Q J C E K L Z P L M B
M H Y Q I P X G Q V R D U M F R Q D T E
I E C O S R P D C O J A N I R E L L A B
X J L I E E A E I E Y L C G Z E M N H L
E E K P R H B S S Z O Z H Q R G I G C L
P M Z L R N E A T I Q L A Y N N K Y E M
D C R K A E L D R E R G S N T O R B R R
Y G W E B V B O Q A V B S N B L J V T K
B P M O F O N C Q M X R E B B L B R N C
C Q D D Q F B U Z T Z N Q M X A Q T E U
```

ADAGIO	**BALLET**	**BRISE**	**CODA**
ALLONGE	**BALLON**	**CABRIOLE**	**CROISEE**
ARABESQUE	**BARRE**	**CAMBER**	**ENTRECHAT**
ATTITUDE	**BARRIDE**	**CHASSE**	**FERME**
BALLERINA	**BATTEMENT**	**CISEAUX**	**JETE**

Other Terms for Abandon

```
C V C T M J W S U R R E N D E R O O N J
P O X M J X C O R Q A E J Q T E A V F P
V O X C V D Q T T R T P F B K W M A Y M
A F W D A D Y X H A E W O A C T N X Y S
M A F P E I B N I C W L S R H L N V U Z
C U X S E U E D F A E R I O D D U W G H
Y E E L O Y U N W E O A H N G Z P C P P
B R D C S P E S D F B C S B Q W Q I U T
T D N M E D Q E C Q L I G E R U B E W R
D R B R K U O L E T G O X R R A I P R V
H I L V A C A T E T Z S Q T V X S S K H
R T S P S I D P O W S I Z L U T J W H A
E N I C N H N G L M J U V I O U A X B K
S D I W O J A L A V H C C J U E J D U O
I R R E T N W O U N Z M L Q L T I V A Q
G W U A R R T W S L E A V E W C G S U X
N B I Q C I A I U S Q Z A J A Y Q I W U
F M L C I S T P N G G L H T S Y T K N W
H F S O N V I E K U J T E I M Q W U D S
J B C T V C U D R I E H E V I A W J F Q
```

ABDICATE	DROP	PART WITH	RETIRE
CEASE	FORSAKE	QUIT	SURRENDER
DESERT	JILT	RELINQUISH	VACATE
DISCARD	LEAVE	REPUDIATE	WAIVE
DISCONTINUE	LET GO	RESIGN	YIELD

Other Terms for Fine

```
M X P J U U D Q T O E V C W J C B X T U
X V Q J O E C K K N E Q V L E O G Q E A
W D G K N C P H O N O R A B L E J U E Y
X Q H I U A M K N T Y I R E D N E L S F
S D F A P H X G R A N D M I Y T V Q T C
N E G P R E S U M P T U O U S Q O T N T
R L U M G V D V A E G L T R Y A F S A Q
S I G S S N S U B T L E S T J K Y V G I
G C P E V I L O J H H A N I H T F E E G
C A R U E L B O N P F F W H H K X M L H
I T E R G H M S W H I G H F C D Z O E V
O E T F P M F E Q L C D V H M T Z S A U
H A T G O F C N R L Z J F Z D E X D Z V
M L Y W T S M S A P M N I C E R M N K T
M I E F U E F I F Y U O X V N U K A L H
Y Z N O O J A T R R W E S L B P H H U I
J N X U U T D I P G H H H I Q J P Z C V
R P A A T O V V B E O Y R A L P M E X E
Q I S A R E P E B W U D Z Q G W Y O B S
P F P W J U Q W Y C E L U F I T U A E B
```

BEAUTIFUL	**HANDSOME**	**NOBLE**	**SENSITIVE**
DELICATE	**HIGH**	**PRESUMPTUOUS**	**SHOWY**
ELEGANT	**HONORABLE**	**PRETTY**	**SLENDER**
EXEMPLARY	**MINUTE**	**PURE**	**SUBTLE**
GRAND	**NICE**	**REFINED**	**THIN**

Other Terms for Good

```
N E K T T M W E T E F W T U S X S S Q J
C D P S C P S N A A O F H O A U Q N D L
E Q U D U O E L T B F U G W O C O Q B V
T J B V U I P R C N S J I K W O T I Q H
B O W N C A D T R U E V R A G S R U P Y
H I D I V O F K M T M L B H Q U E J A A
R C F Y S N C X S L N T O U S L S L I L
F F C A A G S P R O P E R V B X F K K X
E J U V X O U E J B G O L A E S T Z I H
B M L H G Z T E W N I V R L U N T K O G
N P O C F E F Z H P G I V F E I E N A H
V V B S L S Z Q A Y M A F E B C O B E I
U Y N P U U S O B D L I D G C R X I U W
P C M F T O O L A I C N Y A A F W E E U
W O M B Z E U R D I W L O B Z O D M I L
C W L H N T Z T E Z A E L O Z Z K F H K
K Z D W A H A N R E K E F D R T M K T H
Y I K A P G T T R I P R O P I T I O U S
E B R E E I Q U U P V O R O O B Z J D Q
P T N G W R R N E L B A T I U S W I S N
```

ACTUAL	EXCELLENT	PROPITIOUS	SUFFICIENT
ADMIRABLE	HONORABLE	REAL	SUITABLE
BENEVOLENT	JUST	RIGHT	TRUE
COMPLETE	PIOUS	RIGHTEOUS	VALID
EFFICIENT	PROPER	SOUND	VIRTUOUS

Other Terms for Hard

```
X S U I E G U J P O U S Z B R H D V R K
N X G S P U W F L E T Y K C O R F V S X
C V N I P N E N X U N Q L H X U G E M J
G E S N G X W A B W T J L E U R C R U N
D J O U W S C B W C C J F G E P I A N Z
F E K Z C T O R Z X A U Z L U F M J Y L
D D L T I R W F I J P W E O I O Q K I U
E I H N N X F T O G M Y S H P N A V E U
R F G K V D Z R Z V O C D P G U T W L S
E F Q E J I K W N L C R R I E Z C Y D J
V I U V E S N G Z M P E O I L A B K I Q
E C F R Y T C V D Y S B F U L O J N N S
S U E X Y R Z H E S L M W L S I S S G W
L L T G B E K H I H D Y O R P F A W Y P
Y T D L J S W V X O Y U V H V C T O I F
X X C P O S E Q B K S O B D U R A T E T
P S G S J I U V V P M U N F E E L I N G
A T Q H U N W E E B T Q O Y L C B D Z H
E T M C H G D D W A E S H A R S H L P Q
B G R A E M N I F U Y M F O R C E D V A
```

CALLOUS	**DISTRESSING**	**HARSH**	**SEVERE**
COMPACT	**EXACTING**	**OBDURATE**	**SOLID**
CRUEL	**FIRM**	**OPPRESSIVE**	**STUBBORN**
DENSE	**FLINTY**	**RIGOROUS**	**UNFEELING**
DIFFICULT	**FORCED**	**ROCKY**	**UNYIELDING**

Other Terms for Imitate

```
L F Z O G K H D E T V T F Q Z C Y B V M
M P A A H T H T Q D I U C H N D I F C F
D C S O M C A R F G N E A I L I T M I A
O A Q E A L E E E C P H F V P N J H I B
N O C S U T T C P L J A X R E E B A B M
T C P M T P R R A C Q O T S E P D V G V
A K E G A V E P R R R E T I T G B D C
M K S I E J Q A W I I R F D E C N R M O
F C D O P A A T O J P S P X E R B U E Q
X O B Y E S X E T E A Y K V W E N T O S
G M P V R V I B R C L L Y S X F A J E C
T O E Q U P P Y K R E S E M B L E C H V
C V M B N F T L E D O M R F I M U Y B N
J G I K C O E U I V P N D M P D T P I U
E T Z A H L J T O M K O I O O T D E U E
A H G I A L X V L V O S S R J H Q H J P
A J U O N O A F C K S H P D H B S V K H
P S I E G W E M X A A E Y A R T R O P E
D G G Y E A K Q M H R A Z D L N U A I N
E D G D D E T A C I L P U D J P H E Z X
```

APE	DUPLICATE	MOCK	REPEAT
ASSIMILATE	ECHO	MODEL	REPRESENT
COPY	EMULATE	PATTERN	REPRODUCE
COUNTERFEIT	FOLLOW	PORTRAY	RESEMBLE
DEPICT	MIMIC	RECREATE	UNCHANGED

Other Terms for Just

```
W Z J N E D V X E L B A T I U Q E E E E
T B I O I M T I A P C L O M G X O Q O O
B D P D Z S O G A T J K A N S G U J G T
B M R E E D Z T H O N O R A B L E T S B
U E O R G M C A B J Z I U F I X H E N R
Z L P N A A F I T T I N G M Q G N I I P
U B O O X T N E C E D A H T I O U G F H
L A R E K A F M H J S J T R H R H Y A L
Z N T T P F R B G O P C G P Y T L R A R
A O I A A R A A U K S L M F E N M M A E
Q S O C D J O N I S H C E O O O R P X G
T A N O K Q D P J X D J U L N O X S E U
D E E O F E V X E L X S W I N M B H W L
E R D Z C Q A Q M R Z S O L D R W Q B A
S V R W L R G F U M J U K Z B Q T N A R
A G T I L O R P V A S Z Y F T B W Y J H
I F Z A A F D R C S Q H C K W A T A E G
B E N M B F P A T B L A W F U L M U E I
N Q E D S B M T H X C I L A I I R U H Y
U P V Z O T T L X V M Q P E B T E G P F
```

DECENT	HARMONIOUS	ONLY	RIGHT
EQUITABLE	HONEST	PROPER	RIGHTEOUS
EXACT	HONORABLE	PROPORTIONED	SOUND
FAIR	LAWFUL	REASONABLE	TRUE
FITTING	NORMAL	REGULAR	UNBIASED

Other Words for Make

```
U J W S I G V Z D K G M U B X D C G E Y
C F P Z D A R F M T R E B C C V E T K Y
X N R T A P V R E O U O C G I O C K P D
R O H Q C M O A F T R N V U M C M K J J
O I H K Q T C M E X U J A G D O G P Z R
Y H O G M Z I E H I U T I M M O L O E P
H S R C P Q R K B F P A I I F C R D C L
T A K J B S D O O G Y L J T S D G P V X
Y F W J T C U R T S N O C J S L D L E R
F R J E P A H S N B O Y K T O N F V S E
L Q L K B H Z C Z V Y W Y E K A O D T J
E T U C E X E M C P S Q J Z B R F C A F
N E F F E C T F W P K L P R M E L H B V
P E W B I Z P N E Z I N I U R A M C L U
O E T A E R C S E H D C U L O C E T I S
Z B Y U V O N D M I A D C R F H M M S V
Q M I Z F W I B N T I R G Y R Z G E H J
J F F R D N A Z E I L Q Q O E B Y T K D
E W D A O N G C Y M F R F Y P M V N Y B
Z T G J Q J B R I N G A B O U T B F L C
```

BRING ABOUT	**DO**	**FASHION**	**MOLD**
COMPEL	**EFFECT**	**FIND**	**PERFORM**
CONSTITUTE	**ESTABLISH**	**FORM**	**PRODUCE**
CONSTRUCT	**EXECUTE**	**FRAME**	**REACH**
CREATE	**FABRICATE**	**GAIN**	**SHAPE**

Other Words for Nature

```
S X E Z C O M P L E X I O N W R P U I N
P A Z K P H O C Q D J E W E D X U N S O
R E D M P H O Q Z M R F C L Q T P O Z I
M C R N I V Y A B U C N Q O W X E I B T
N N C I L Q Y C T K A L N X L B R T P C
A E I S T E V C S T M O K G G Z S I H E
T S U H H S U N S C I X I P N M O S T F
U S E I A R E B B T H P N K I Z N O T F
R E Y W T X U I U W L A D J E R A P R A
A Y D S R S D T C Y Q C R G B M L S U J
L S B L O H I D Y E G Y J A A X I I T N
N C R E A T I O N D P I D Q C R T D H F
E M W K S X U Z D B R S Q U P T Y Z I Y
S O B N N J N S Z U T B V L A O E Z O I
S B O K W Y P S E R L W H S I A U R M L
P C P X W U M S O Y T I R A L U G E R P
C G F T E S F S D A I Q I E Q L X Q X Z
P S M K E Q I V R Q B Q P A G B L M O P
V P A N A T T R I B U T E S U D D R L A
A M Q B D B O J T E M P E R A M E N T I
```

AFFECTION	CONSTITUTION	MAKEUP	SPECIES
ATTRIBUTES	CREATION	NATURALNESS	STRUCTURE
BEING	DISPOSITION	PERSONALITY	SUBSTANCE
CHARACTER	ESSENCE	REGULARITY	TEMPERAMENT
COMPLEXION	KIND	SORT	TRUTH

Other Words for Object

```
E H M B V F G D I O E S O E C Y G B A L
P I C H B O P I E K G N N B T V H Z A M
I G I N T E N T A S B D E B S E D O F A
S T U C G A Q Y U G I K T V V T G P W A
M N R C G N U O A P N G J O A M R R I O
I O G K E E L I F T P V N B L R B U A E
M A D E I P N D L Z H H N J T P T U C T
G P G U I S M C P R O T E S T E J N B T
L P F R A A W O Z N G D Y R V L R F O L
C E I Y K O D M N L Z I G A Z U A B C C
D A G A L O V P Z O E S Y U I D Y M B E
N R D X M T P L T D Q A L R D M Q S L N
S A H E U J O A T R G P O T P W W W M U
O N O M M W J I L H J P K V N T L N T K
N C Z R W U J N Y E I R N Q N R J C U H
Y E G M K I R A O V I O L P T O E M P L
I N S W E I V T J I U V P H J J J I T W
W E S O P R U P O T W E G C B A E W O R
G V L X L V U D B O O I M U T J E B X S
E E O P P O S E I M S F S M E W B U Y U
```

AIM	DESIGN	INTENT	PURPOSE
APPEARANCE	DISAPPROVE	MOTIVE	SIGHT
COMPLAIN	END	OBSTRUCT	SUBJECT
CONTRAVENE	GAINSAY	OPPOSE	TARGET
DEMUR TO	GOAL	PROTEST	VIEW

Other Words for Peak

```
M E P O C X X W Y D R O K K I J V T Q S
H C P B U E B V O Q T I D T T N U O M M
K I Z L K R E P Q L E Z I M I X A M J G
P U V I O R I S A H J F D G V C I P I G
B A P W T N O H Y Q C Y N F O O R G W D
Q S J E N L T D Y A T R N I A T N U O M
M P X A S G J T P P E I U D H C D F F J
N M C Z G J V S U S U K P P A A N Z S M
S L C T M U T E V T A Q P G X V U H O Z
E U M U O O K R Y R P T W M G U K H E E
S W M E N J D C F K Q P J V U Z W N Q X
I L O E P B Z U O Q J A O N A B I R O C
S L W S W K D S P E H P Z R K T F M N C
T I D F X E M C A W R E I N H H Z A W E
N X W L L I H O O J B X D K K M P G P C
K X M B S U M M I T V A F V A M H S L Y
P T U X W N S R G P C W Z Z O Y P V C F
G P C Z F C K U W G Y F O S P O I N T K
R B W B O E G A T N U V B O X Z H A H Y
I J F K L T D R A B H J N N W O R C B Y
```

ACME	**COPE**	**MOUNT**	**SPIKE**
APEX	**CREST**	**MOUNTAIN**	**SUMMIT**
BROW	**CROWN**	**PINNACLE**	**TIP**
BUMP	**HILL**	**POINT**	**VERTEX**
CAPSTONE	**MAXIMIZE**	**ROOF**	**ZENITH**

Other Words for Plain

```
S K Y O Z I H T N E D I V E D H Z A B M
Y X Q N S Z I S P I T O A H E I C N U O
H V D U N O B S T R U C T E D L C X D R
P S I O R G M B Z R W K K T E M C U A L
F U O N A T U R A L E E I A R U Q L L H
K S W C S U Y E V E N L R P V X O U H U
E F S Z M F K Y T Z L E D P L S B N I I
X W P N R V B D X A C K B V U B V E Q H
R E K D E T C E F F A N U N X I I N T V
X J I Y Q G T S G O J Q V V K R O C S E
N Z S Q A D U K H W S A H N D S U U E A
Y N X R R F U I Z I R Q O M E R S M F S
F N G B T Y X T M N C M M R V P F B I Y
O K X H L O T P I Z Q T E U R L A E N W
S B T A E F L S C B Z D L Q E A O R A O
J M L T S E H N X B L Y S S Q B E M K
G N O H S E P S W U Z F U A E Q K D C X
Y X E O D J Y J I K G P G Y R R H N F B
Y Q C P T Z S R L E V E L X N S B H N F
D U G O O H P X P S V K U G U D D V N J
```

ARTLESS	FEAT	NATURAL	UNAFFECTED
CLEAR	HOMELY	OBVIOUS	UNENCUMBERED
EASY	LEVEL	OPEN	UNOBSTRUCTED
EVEN	LUCID	SIMPLE	UNRESERVED
EVIDENT	MANIFEST	SMOOTH	UNVARNISHED

Other Words for Walk

```
S K F Q M R Y F E R A U T P F B R I E T
T J M K G A N B E N L S R R L T M P E K
R Y G J S U R T R O A O D T E L L Z E P
O X E Y V O N C U Q M L G F N A N M K A
L A U Z U U H L H E X U I I P E D A I S
L O E M A Y S J N C X Q J A E E U X H S
E F L S Z E S A P P B E T L F F D F N A
B U F Y W I D M T W O H B A U W P E T G
Y W X Y I E W B S L H M M E A N D E R E
V P P E T S W L G L A F Q H S O K R W W
Q V S W K M E E C R W E B B D A U F A A
R E G K J A D G D G M Z Z U P N T P Q Y
T B G J P B I X S W O Z E L S I A A J O
P R Y J Q P R H I Y L N M K S E I C O K
T V A E P W T X R H Q P L P F U P E L E
O I C M L V S Z F O G D W G E K F E C A
N U U Q P L V T P K A L O K N L P G G B
W R T Y K I A W Q R E M R I F V C C D O
T A B A Z X H E G R V K A D F A C I P J
A W B W W D G I G O C K G Z Y W D A B Y
```

AISLE	MARCH	PROMENADE	STRIDE
ALLEY	MEANDER	RAMBLE	STROLL
AMBLE	PACE	ROAM	TRAMP
HIKE	PASSAGEWAY	SAUNTER	TREAD
LANE	PATH	STEP	WAY

Other Words for Little

```
D B K A K U W Z W W P M H Q Y E T Q E D
T C A P M O C X G C B I F M M B E H S P
E V I T U N I M I D M N J R K B B W E Z
W E D W A R F C T A Y I N I M F R A R N
S M D L Y F R W Q M V A I M C M I I H U
S L N T K N F U G C K T A D Z X C H E S
K F T S G Q P I W H B U V W G P H Q W F
I E T O M K P V N D D R R B Q M N B A K
P N D J H O S U K A X E O L D G R Z T A
U N I M P O R T A N T I O Q Y E Z R P E
M Q V O C I H Y Y G L J E A Q O N A W
I X C Z M H Z R P R P D L H D H H O P L
Q L W C A X J U S L T Z X A S D T V T Q
O S L T H G I L S N A L G C M E X E N S
Q Y C I P Y H J D O B I A Q Y S N I C S
Y M A T B O O D P S K S V P P V Z A O P
L N J Y D E E Q H F Y S C I O O N Y G Z
S G I I C V R D J Z L R V P R T X R V Y
D H M T Y Q R A S A Y E G P Y T B L Q E
M A V E B B X S L K J Y U Q R J R W F C
```

BRIEF	MINI	SCANTY	TINY
COMPACT	MINIATURE	SHABBY	TRIVIAL
DIMINUTIVE	PALTRY	SHORT	UNIMPORTANT
DWARF	PETTY	SLIGHT	WEAK
ILLIBERAL	PIGMY	SMALL	WEE

Palindromes

```
P S S U Q L V Z K X R U X E Z K N F K V
R C G G E W E F A O Q C B Q Q W W I M O
Y S R V A U V O T C M D W R U Z F G C B
H G E L G P I A L F E M C E T Q Z S E V
D L H Q U D T S L Y C A R D I Z A E J I
W E Z L G O G U B M G D T I A K P E E P
L P L O R Y U C C S R A Y V Q L U D U A
C U K T A Q C C T W K M O I L R D A D R
P Z R W R I A U O K Y G U D L M J E B L
O Y F Y H H U S O W Z V J E M A J I H Z
U L R C J R K O T H N J O R P T E N E T
R Y D E A B K V D W E T R K N D S R Y R
D A D D P W I W O W N Q F G P E A P E G
E W A Q B A J O S X Q W P H B C A L J W
A R F T X P P U G O C I V N E V E K R I
K R P Y A L O E N J L M O C L V H O G T
I S R H D C O Z R M D O A E E D T H B D
F Y C F B T A R C Q N R S L W O A O M I
K V E K Y Y Y C I V I C E T R C O F C Y
C Z W J T K Q H K K A R G M L B H R T C
```

BOOB	**MADAM**	**RADAR**	**ROTOR**
CIVIC	**NOON**	**REDIVIDER**	**SOLOS**
DAD	**PEEP**	**RELEVELER**	**SUCCUS**
KOOK	**PULLUP**	**REPAPER**	**TENET**
LEVEL	**RACECAR**	**ROTATOR**	**TOOT**

Pertaining to Your Health

```
M J F L I R M M U Y H J N R S L X Z N T
V B Y T N O I D L F U R B A I Y A Q A G
K O W J T G Y O K P X T M Q T H C G D L
P W I P R B Y B Z X X M F X I B A X R P
B S M A A A T X Z Q A D K S H H L R E M
P Y I G V C H H I Y Y M S T C R O O N I
S N A L E T H C W P V U Q E N A R C A Y
E O A W N E T T O L G H T R O W I Z L A
Q I Z Y O R U Y Q A R V I I R E E X I U
Z T N A U I H C H U L C V L B P J R N S
M A E T S A H P R V E L N E I Y D O I X
M C U N E M O H P R B V A D V N K S W N
O I L E R S A N E H J E E Y O A O R K O
Q D F M E M T B Q I Y M S H G N X O Y N
T E N A X F R Q J I I S C G G G U G G W
K M I G K A J P C C R O I A S I Q Y R M
R X Z I L D R F P Z P A I Q N N P I E F
S I Q L A E H A N Y C D U Y U A O Q L E
D I O V V K E Y H F O D A C P E C E L Y
O A D Z A T E I D F Y R W G P N Y K A F
```

ADRENALIN	CALORIE	ESOPHAGUS	MEDICATION
ALLERGY	CEREBRAL	HYPOCHONDRIA	MIGRAINE
ANGINA	DIAGNOSIS	INFLUENZA	PHYSIQUE
BACTERIA	DIET	INTRAVENOUS	STERILE
BRONCHITIS	EPIDEMIC	LIGAMENT	SYMPTOM

Photography

```
E U D S O F Q H U P E S G I H N P A I N
L C H A V R D X P I E R V P I Y V L Q T
J B D F G I Z Y L T C A U C Y X N J Q K
K W Z E D Z N N T I R N G T M C I V D J
Z M I N J Y N I H E R D Q U R P V T D T
O C A D W I N B M Y E A P M T E O V C E
S C U I E G G A T X D U V K R O P U O L
N U O A U A C D B O E T P N I Z P A G E
D O Z Q M H N G P X Y O O L P J U B E P
D S M G B A D G G W E F R O O S J H M H
U I C P G K T M L T X O D E D F W Z A O
E R G S V N L E T E A C K J W Z H Z Y T
G R J I M M M N U R A U C P J Z A D G O
N A U C T T J D U R Y S A F N Y N N X D
I D G S D A I H A H I T B M M O O Z N A
R G K N O U L S V S W Z S K U R M S M C
E B T A W P Z O G A C P E K D J O K Y W
T P O S E D X G T L R J W R E T T U H S
E U H M Y V S E Z F L I G H T I N G F S
M A H Y W Y S M D E E P S M L I F D R E
```

AMATEUR	**CANDID**	**LIGHTING**	**SHUTTER**
APERTURE	**DIGITAL**	**METERING**	**TELEPHOTO**
AUTO FOCUS	**EXPOSURE**	**POSED**	**TRIPOD**
BACKDROP	**FILM SPEED**	**RED EYE**	**WIDE ANGLE**
CAMERA	**FLASH**	**SETTING**	**ZOOM**

Physical Science

```
N B I X B E M C K C U K Q J B P L G P Q
V O B W C U I A A H U Z A B R K Y Z U U
A J I E E R H T L N U E X I T S R Q K A
S M E T T E H C V Z R J D T Q C N A F B
Z U U C A O B Z E O U I O H Z I D P J C
L D E Y D N M W D I O R U P U T M N V O
G L V E S L I Y U R N F T H X S E J G N
E A C W R H N L E X N F O E Y U G V Q D
J K M R H A T T C M Z W R R Z O A X Y U
H A Q R M O S N V E I K D A Z C T L P C
D K H I E A O L T V D Y C D R A O W L T
B Z C F Y I E D L Q E J F O G E N Y L O
E T O I S U M Y W R K E F Y J T D K D R
C J W U X C V C G F I S S I O N S Y M M
B M F Q D A X N X Q R R I Y E F N D R T
G Y U G P E T A R D Y H E D J A B S Q M
J Y T I V A R G D K D U Z A M B B K I S
N Z N U C L E U S V T B T O T O G K K D
B R E T E M O R D Y H E V A W O R C I M
P A A O W E P O T O S I A I T R E N I J
```

ACOUSTICS	DECLINATION	FISSION	INFRARED
AERODYNAMIC	DEHYDRATE	FUSION	ISOTOPE
ASTEROID	DYNAMO	GRAVITY	MEGATON
CATHODE	ELECTRIC	HYDROMETER	MICROWAVE
CONDUCTOR	ERG	INERTIA	NUCLEUS

Pick a Fruit

```
A X C C L E T N E Z J J P P D E O N E T
Y N V J G F M P F M E A L X U M L X I X
V O A N F O O E O V I D U V A W V U I X
I K A N E X C Y A C Z L M P Q S R F P W
E R H Y A N P P P P E Y D L Y F G K E L
O U R P I B P I D D V L G P E X E N A Q
N D X U L F T C N C W M P P I K C O R Y
F R Q S M R A W O E Z P A P A W U M A R
Y Q T K F Q N A C T A R C Z A P C E M R
R G O P K L G P H U G P F A W G A L M E
R Z C F V Z Q W E M P S P H J T R Y B B
E E I B B K Z H R K K A H L K Z G E A P
B R R I W I K A R T Y E J N E T R W F S
N M P J V J G M Y B T V X T D S A N K A
A W A O X S C Z X H W K S X Y L P A Y R
R M L K T D E E X N V F C M K D E Q I C
C B L A C K B E R R Y X Z M D K U E T M
Y W N A Z Z U O R F M W B P C X K H A E
S J A Y K S Z C A R Y D O I P E A C H I
F U M O S X R T X H Q R T N A R R U C Z
```

APPLE	**CRANBERRY**	**LEMON**	**PEAR**
APRICOT	**CURRANT**	**LIME**	**PINEAPPLE**
BANANA	**GRAPE**	**ORANGE**	**PLUM**
BLACKBERRY	**GRAPEFRUIT**	**PAPAYA**	**QUINCE**
CHERRY	**KIWI**	**PEACH**	**RASPBERRY**

Pizza Toppings

```
X V C H I C K E N S B G S E I N B J D B
J Y S D O G L N R X S Y K E N H O G A C
Q X S U O D E E H N W H N P O U Z S H D
V A W O Q W P B O A D U D U G T I O Q X
H A G N W P H I C K L Z E M B L A B P E
W L R R E B N D O Q S C A Q X U O M Q E
J L T P E O L H A N C H O V I E S Q O A
Z E L A P E K A B E P T W L L H K I O T
Y R P R Y N N Y C E L M U S H R O O M S
R A U N P T P O P K T P Y U N G B O W L
E Z F N D I J P L Q O F P A U H V W O G
G Z O N A G E R O I H L K A M F P D G B
R O T X V R Z A C E V K I B E R W H O V
U M P V O W I S I G D E Z V E N Y V M I
B H E N Q M P D Y M M R S G E R I K T E
M R I D P I U O S L S R A V U S Q P B H
A V K K N U C S L X J S N A S E M R A P
H N O A J Y F N Q B U B R O C C O L I K
P O C P S A P C Z A T N A L P G G E I S
V H P I I I F E S U E P T K T S A X Q G
```

ANCHOVIES	EGGPLANT	MUSHROOMS	PEPPERS
BASIL	GREEN OLIVES	ONIONS	PINEAPPLE
BLACK OLIVES	HAM	OREGANO	SAUSAGE
BROCCOLI	HAMBURGER	PARMESAN	SPINACH
CHICKEN	MOZZARELLA	PEPPERONI	TOMATOES

Prepositions

```
W M O U T X C K L M N A A T E I A G R E
U B N W O D Y P E K N O A M Z V I A E W
R B A X B O Y Z Q T B Z P T H R J R A L
X E L B E C A U S E O F R U P A I O G S
N S O M A U E A N I A W I A W S U F T N
W Q V X C D X A E X C E P T F F U E R A
I B O C I T J C G N I N R E C N O C L G
H B T S N G J R Y S H N X Y M J G O G N
R Z E U G A I O L V M O Z V G L N Y H I
A B C M O L G S B I H T I W Z G N T Y R
K B W A Q H E S I Q V D A N S Q Z V Y U
A Z O R O G G Y G X L X W I W O U T F D
V V T V V Y E U E P Q S D I H O I R O P
W X G F E A N B O K B E Y S K S O L E E
D D R N R V A E E R Q A D E Z M D P T U
M I R O Y B E N C S H Y J J N R W U N D
M C W L V P D E O B O T I C N G O D K R
T X M K R A X A A L Z I Y C W B E L V C
K P E B Q U K T F B C X N U A R B R M N
M W W V L T B H S H T A E N R E D N U O
```

ABOUT	**BENEATH**	**EXCEPT**	**THROUGHOUT**
ABOVE	**BESIDE**	**FOR**	**UNDER**
ACROSS	**CONCERNING**	**FROM**	**UNDERNEATH**
ALONGSIDE	**DOWN**	**OUT**	**UPON**
BECAUSE OF	**DURING**	**OVER**	**WITH**

Presidents–19th Century

```
R D M I Q Y G R O C H A R R I S O N Y J
S Q V M G V J S R H J R W G S A J D T O
Y H Y L B R A T L E F C E P Y R R H D A
R N U A Z C M N F D L E J S A T Q X U G
V T V J Z A A F B E B E K T U H E J X K
C H D X D J E Y V U O P G L P U N F W S
W Y F I Z R E E R R G S S O R B I L X
Q H S I S L L X N Z M E R E E P Q L F B
I O G O N A N O N W B V N A N Y X L G Q
N W N I N O M E C R E I P T N E V M K T
H I K D S W U L I L O R B F R T S O T G
X C E K L M K F Z H C C P Z J E T R F K
M E C J Y R G R V C F K Z O Y L S E B I
A A N P Z L I N C O L N H A Q E D U C A
J F R V E D Z C Z A U N H Q S B C E D G
Y J K E J N G A P P S C Q R Y H H A P R
R L M E L V B K D O S F V S A B M N H G
O M X Z Y Y A Q N I U C Y N B S Y W X G
F Z K U Y X T J Y K W T A I W U H Z H P
V U E S R O L Y A T Q N A M U I K G U O
```

ADAMS	GRANT	JOHNSON	PIERCE
ARTHUR	HARRISON	LINCOLN	POLK
BUCHANAN	HAYES	MADISON	TAYLOR
CLEVELAND	JACKSON	MCKINLEY	TYLER
FILLMORE	JEFFERSON	MONROE	VAN BUREN

Punctuation

```
T H H B E M V L J C G U I L L E M E T S
K M T J L B S M F H Q Q M K V W T D G W
D G N M J C K R A M T N E C C A L K V S
K B L X I V L T Z V Y S X W K S H Y S O
L P S L P N P K Q F E E Z H K N J C I L
T V A O S P S W C Z K S M C A N U O V I
R T I Y O R U S A D M P A F G I Z N N D
I C N I F J B P P I N I L G F P O T D U
U N D E R L I N I N G L H M J L E W O S
O S E V D B L Y T V I L E J O R V B I E
C K N N Q K I N A W L E I C P N E N R S
B R T E N T H N L E W X I U V R I D E E
V A A H C B B T S G S M N C U J C M P H
Q M T P D S C Y M T E C P Q D Q O K T T
K E I Y F A V F E S T B P V Z O M U K N
N T O H Z W S K E P Q H E C X H M P N E
T O N W A J C H J U F D E L I O A R V R
W U L H V A H S A L S P B P O P O O L A
S Q I O R K U M U X X Q E K N J F W U P
C Y C B C Y J A K X E H P O R T S O P A
```

ACCENT MARK	COMMA	INDENTATION	QUOTE MARKS
APOSTROPHE	DASH	INTERPUNCT	SEMICOLON
BRACKETS	ELLIPSES	ITALICS	SLASH
CAPITALS	GUILLEMETS	PARENTHESES	SOLIDUS
COLON	HYPHEN	PERIOD	UNDERLINING

Things That are Red

```
U E O V Y L J O P N K Y H D T T O I M W
T N U P N S M M X A D J R B A V M J Q R
X K V N E K N B S N W P O L R L V F C J
X M U L R A O P K N O S S L K F L Y I C
C L P S T Z S O N G R H E X R A T Z W S
E P C H H M E Y I A J O S V J A R S Z N
A T G H H C S H A I R E P H V V C O A C
Z N B E E A P M D S S S B U M J O J Z J
M F V W V R R A S Y C C A R D I N A L S
S S S K F H R E Y Z S H V Z B L O O D D
V W H F B H R I U M D O V H K F Z W H N
S U W N R D G V E P R K V C D Y B S M Q
N T P I Q W T J E S H E I L Y A I Q G F
J G O N G Z T P L Q U T T I I L Q I K W
A P T P Q K P B S U S O V C O A C U V I
B Q E K L E M B G P R H Y P B C U N L B
B Q P M R I R Z I R E T L O V L Y B F W
H V R V F S G L F X T I G N K S G A L F
F C A O Z O Z H O T A M O T Y B U R G Z
P C C N T A W I T N G C R A Y O N T E H
```

APPLES	CHERRIES	INK	ROSES
BLOOD	CRAYON	LIPSTICK	RUBY
CAR	DRESS	NAIL POLISH	SHOES
CARDINALS	FLAGS	NOSES	STOP LIGHT
CARPET	HAIR	PEPPER	TOMATO

School Memories

```
V A T T B G Y P L K J G X F P V P U U P
M X V U E R S R E P O R T C A R D Q F R
D Q S O W A D L I J M Y A R P U F D G D
S E M Y Y D C V U M M P S E K O J D L I
S P Y I D U E H S S D R A W A M J A L Y
G H V P U A G A E C O O Y H J Q P L A U
B K B G F T Y Z S R I M Q Z T I T D X E
L R L Z F I L A V S S T J P C I T Z U T
R I O H C O E T P S E W E N E S P J Z A
W O O M G N C L S B Z M I L R E G B D M
G T T G G X J E D M T R B I H C X E R S
Y Q G L L L C R U T P W F L F T T L N S
M O M X N E T U O C R V H A I E A B B A
C P O O R L X L M Z N I Z W N E E K L L
L Q P M O O R H C N U L P T Z L S V O C
A Z L M O I A X T L T W I S X O F C O X
S H S B P Y U X A W S O J I E K K Q T S
S R K W G N U F Y S N K U B X E P L X M
A U S R E D A E L R E E H C R Y E Q Z L
Q P I A H R J R N T B X A S V L H M W H
```

ASSEMBLIES	CHOIR	GRADUATION	PRINCIPAL
ATHLETICS	CLASSMATE	GYM CLASS	PROM
AWARDS	DETENTION	JOKES	RECESS
BUSES	FIELD TRIPS	LOCKERS	REPORT CARD
CHEERLEADERS	FIRST DAY	LUNCHROOM	TEACHERS

School Subjects

```
E Z E C A L C U L U S K F S N N R P U Q
Z Y B Y B E K K S T G Y L C N A I S I N
O N Q U J L Y C D V W L X I I N M L N E
E C U T H G I N P L F T T M K B E R T P
O W L L O E W A C M H V F O P I D F E I
A R T L N P U J U O A R M N U O H B Y G
C M O C P L D S Q X E J Y O T L I G J K
D E E O H A I Z P N B E N C N O Q G H G
G E S X Y C E K C S N B G E W G M O E X
A U L J S E P H E J Y A J V Q Y P O T K
T R W A I D X N X R J C O Y Y U G C G M
U D B D C X Y Q S E U S H P Y R N U D D
W K Q E S I H R Y R N T D O A B N O N V
Y F Q H G H S S T K S C A P L M G Y Z H
Z N M A T L N Y I S H B H R S O F Y S B
E S D A S T A R H L I Y K T E G G I P U
K C M V V K D V R P G M M H R T N Y R Y
P T N E M N R E V O G N E W B A I P T F
R W O G O F Q T C U S J E H P V F L X S
K W D R T F D X Q J N L F S C D Y A B C
```

ALGEBRA	**ECONOMICS**	**GERMAN**	**PHYSICAL ED**
ART	**ENGLISH**	**GOVERNMENT**	**PHYSICS**
BIOLOGY	**FRENCH**	**LITERATURE**	**PSYCHOLOGY**
CALCULUS	**GEOGRAPHY**	**MATH**	**SCIENCE**
CHEMISTRY	**GEOLOGY**	**MUSIC**	**SPANISH**

School Supplies

```
B D S N S V H N B G L U E S R B W W W M
A I K N Q R E L T T O B M H R E R V Q L
C O M Y Y F M G F A E X J S C E T O I E
K Y M N Y T T R P M A A K M K M D A J J
P S V Q J V C R A Y O N S O O Z P L W R
A U R X O B H C N U L W A L O R V L O J
C N Q O F T M R R R Y S P O B B O X Z F
K V V F S B Z M E B E C T W T U E P L R
C M V T R S S J L M P H Y Y X E R T L S
X N W K I F I H U Z F O A W E O I B O Y
S D T L V O I C R G Y O Z F T J M S R N
Z P I B A M X I S N G L U R G E G A P T
M L I Z T K R O P J Q M A Q B E N A H W
C C A L C U L A T O R C B M D O P E O O
O K H F C Y S G G K T Q S J I E S R W G
M D M M X R Z Q E O Q V J T R A K M M Y
P F T N V U E F R P L W C V U B T C P X
A V B K J Y J P T Y V I N R O G R V X E
S B Q C Y S W T A D D C U O G I N U T L
S Q L E H E X V H P B S K L T F P K S D
```

BACKPACK	DICTIONARY	PAPER	SCISSORS
BOTTLE	FOLDERS	PAPERCLIPS	TEXTBOOK
CALCULATOR	GLUE	PROTRACTOR	THESAURUS
COMPASS	LUNCHBOX	RULER	WATER
CRAYONS	NOTEBOOK	SCHOOL	WORKBOOK

Seen at the Park

```
N M K H I T U C G G V Q Y N H Q B D U H
T D K L K M S E L C Y C I B X R R Y U L
I K I Q P V C C O B N G J D R T A R O T
L O T T L X B S M I E I P O M W F V O G
Q D E W E X O B D N A S A U R I T E P N
M E S J S X E M Y D B I B T F M K X J B
B J C W U V D M S U I W Q G N I W S Q L
P Y I C O A I V B C Y Q V S T U A C P F
O I A B R H L V W K V V R R I T O L T M
J F C Q A M S Q B S D E M N G D G F P D
S N L N C N M D B J N H L Y R P I P C S
N K E O I M D D W N W Y P E A J R W A S
W S L R W C K S U B S Y Z D S N S B T T
I M O Q D E T R H S L M V Q S L G E S M
G J O M T L R A B E J B E N C H K T O Q
D U P P O P I S B A L N O O N N E T G D
U Y N F P Y K H T L H L Y J A K H J N E
L T T O R Z N K C E E P R L S E Y O O R
A P W G B G T I U Q I U B A R F P C V V
Q N Y N Q N D P V Y F P B S L N I B O T
```

BANDSHELL	CAROUSEL	GRASS	POOL
BASKETS	CHILDREN	KITES	RUNNERS
BENCH	DUCKS	MOTHERS	SAND BOX
BICYCLES	FLOWERS	PICNIC TABLE	SLIDE
BLANKET	FOUNTAIN	POND	SWING

Sewing Terms

```
C H Z R F Z E E V B W J R H D D Z S T D
V C J L V D J P R H H M H A W A W B F G
Z F B W G R W F A M Y A E Q Q Y R S R N
K K M E V A U U Q T P O K D F I K T E I
P O F B X J E L E H E G A V L E S D N T
P Z G P G N I C A F T S H N O T Z R C T
M X S G U A P B G E E Q Q L B I A S H S
B O B B I N R N N W C Y Q L F H B F B A
K D Z W W F I Q I M S N S R A M P D S C
N C S A K L L N Z P P S Q Y E J R F J R
O W G J E L G E O W F M C F G Y Q Q Y E
I B P V V L P O C R D R G S J V K I O V
T Z A T Y X L T P E M E M E S V R J V O
A R M D D K I Y U H N T C A R W N M Q Y
R P I N T U C K W T E X D M D F E M B W
E K R G N I N I L A Y L A N S C A M C K
T T D I J J Z Y I G E B D P X A S E Y Y
L A S C R N I J T D P S K E F L G A B A
A C R A Q Q M H T X A O J B E F S G O C
Y B V L B O F O Z C L Q U U J N G E G K
```

ALTERATION	**EDGE**	**NEEDLE**	**SELVAGE**
BASTE	**FACING**	**OVERCASTTING**	**SEWING**
BIAS	**FRENCH**	**PINTUCK**	**SPOOL**
BOBBIN	**GATHER**	**RAVELING**	**TAPE**
DART	**LINING**	**SEAM**	**TERMS**

Silent Beginnings

```
E H Q U K F M W N X P B P Y C C B F L T
E N N N R E Y J H S Y H Z R N O H L X K
F G I V M A R N H C I N O M E N M F G M
T F B O H X Z M H H B M I W N T S E L E
E R N A A I W A Y A X F D K M J O I T L
L G Y I A A O W A N T I N K C W X X U K
T T G N Z T N P J E O Q Y P A O V L Z C
E L O O S M K P I N D D F F K G N W K U
W P L M D P V B N P K D U N B N B K W N
O S O U T G W C T E L L A E P A Y C E K
P Y H E K R I O B E U P F M S T B Y Q Z
S C C N M K M E D S M H F I P X I W K
A H Y P H U I N O A G M A F K T Z R W F
L I S H T Q K C C W M A Q T V H I Y F G
M A P L H W N K K D Q Q Z W I T R I S M
S T T X S Q E H V E W E T K E C R O J M
X R S P B S B R Q O R W L E S F C E S H
R I D G Z F B W A N G S D M P O U J P U
S S Y X Z J S P Y F C C D B L R R Q D D
T T K H X H S B W U A B L O M M P Z Y X
```

GNAT	KNEEL	KNOW	PSALM
GNAW	KNICKERS	KNUCKLE	PSEUDONYM
GNOME	KNIFE	MNEMONIC	PSYCHIATRIST
GNU	KNIT	PNEUMATIC	PSYCHOLOGY
KNAPSACK	KNOCK	PNEUMONIA	WRITE

Sit On It

```
X N Q K X J X N H M C M A T F Q B B D U
G C H A I R W Z T F Y Z E W L M H W X C
W I D Q U Z G B F Q P H B X Q X A D X I
O C Y Q W L L R W L K L C A W I X T V U
L R B I Y P E H W O S J U H P X I Q W D
L E P L A C E E S V S C N E A R B P Q M
I C L G L S E T T E E M T V S I V A S U
P A D I Y T Q F G S K S A D O F S P J J
W P N O K P E L G E U L F B F U N E P R
W E U L Q W E E T A Z C C E A T E E A Y
R U A W L O E H U T Y B O N O O E Y J Z
S G C F D Z G N F O K C R N C V A Z
C Q M A T O G K V O S Z U H D W L B X V
Y Y P O O T S H T V N V C M V L V A O V
Z Y L Q C C R T E E C L D A M R T L S L
P Y I S K L O U X U C Q E F H R O C O B
R G H W W M M J I A M Y B Z X P V O I J
X A K L A I D F M G V C X W G M T N L B
W W E N D N N T E E K Y F N U S E Y P F
L J J G H Y O G B U R V Z C R Q I P I F
```

BALCONY	**FLOOR**	**PILLOW**	**STEP**
BED	**FUTON**	**RECLINER**	**STOOL**
BENCH	**LOVESEAT**	**RUG**	**STOOP**
CHAIR	**MAT**	**SETTEE**	**SWING**
CHAISE	**OTTOMAN**	**SOFA**	**WALL**

Soups

```
E R Z V X I L F G S R N X L L K V C J I
I B L E M W Q I K Z P D O O F S M H O D
C C A G Z I F M G V B L L C I E C I R V
R L I E A Q Y T N P W M I O Y N Q W U X
B A U T R V R J E S V W J T I Z H Q Y F
L M V A E P H U K Y E B T L P Q S T F K
A C E B W W J J C Z U N I W Y E C O A Z
C H G L T N E A I A T H O X A E A M I F
K O G E C Y H X H S C H S R M U Y A N X
B W I A Y R G T C O J T X M T Q A T C E
E D E G R N E G A B B A C D L S R O Y Z
A E B S L A W E T S R E T S Y O E R N X
N R E L U V D M N L E N T I L Y E N X F
E I E R E Y R Z K O G B K V E L V M I Q
B Q F X Z B N O I N O I Y X E O E A E M
N B F D B E P Q H W O D P C Z G H Y J B
H D P E W A W G D M R A L C C H E E S E
W F V U Q N G T E H I S U E A O C X G M
M U S H R O O M R L D M B R O C C O L I
V O J I A D H S N U F O H X B B F B Z I
```

BLACK BEAN	CHICKEN	MUSHROOM	RICE
BROCCOLI	CHILI	NAVY BEAN	SPLIT PEA
CABBAGE	CLAM CHOWDER	NOODLE	TOMATO
CELERY	LENTIL	ONION	VEGETABLE
CHEESE	MINESTRONE	OYSTER STEW	VEGGIE BEEF

Spa Day

```
E L X J P J G A R J Y P I V M T J K Y V
R K W D W Q H S T W U H U W E A C J H N
U J T W Y B G X A L U Q O E L D E B V Z
C M L V T U P Q N A H D F T K D L T C Y
I R Z S I A F R N E T A G T R A N D S G
D K P F R Y N D I Y N W I K J O M M M O
E Y V W G A P Y N P Z I M R L M C H C L
P D D E I S S A G A E K S S C W E K I O
M U G I V S H N R R T C J I L A S O S X
M A J H O Z I J X E D C W F U D R S F E
F R N F C O A Q Z H H L Z C K C U E A L
G O O I C K T K K T L T U D A V K G C F
V U J C C N S P Q O E P O P E J V G I E
Q A B L D U U X N S U Y B R S K N S A R
A L G A E W R A P E E G W R D I O K L K
E Y W M Y Z E E Q M I I V S X Y Y Z M F
N S E R U T C N U P U C A A I U H U Y T
M A S S A G E L C O O J W T L T O Y S K
I W T C D Z A Y Z O L O O P L R I H W J
W M P Y P A R E H T A M O R A S W U V M
```

ACUPUNCTURE	**HAIR CARE**	**MASSAGE**	**SHIATSU**
ALGAE WRAP	**HOT ROCKS**	**MESOTHERAPY**	**STEAM**
AROMATHERAPY	**HYDROTHERAPY**	**MUD WRAP**	**TANNING**
CUISINE	**MAKEUP**	**PEDICURE**	**WAXING**
FACIAL	**MANICURE**	**REFLEXOLOGY**	**WHIRLPOOL**

Spice It Up

```
S M N X S H T E A X C P U A D Q B D G H
A N N P E A B P Q I B E M Y H T Z S V T
F S M D S L F A I R S E E M I R D P I R
F C Y P A L E C Y J R G T R D X R H C C
R O S P M S N L K L G E M T U N E K B G
O R F E E P N I O F E N X C Z L D P M J
N U I E H I E C E E X A M N U P N N U J
A V V S N C L O F I I N F A W M A N B N
K N W U R E Y R H W V R X W Y H I X M U
A K W A R W N I D D D E E E H P R N A P
T C H X S V U C V Z O L L A E H O P P P
N M D N N A E E G R D S Y R D F C T W C
M U A D P W J S T H R R X K O W T F C I
S S M P L L F N A A E S D R A A U D M N
A T U N S O A V P G O E R E P P E P Q N
G A N Z R L F X N F V K T V V Y R Q X A
N R R N I X V I V Y X C M E S I N A W M
T D B C M P G B D R B M Q B L C R M W O
D W E J Z L I H G W W R I E O C C C G N
Q V E R O S E M A R Y Q A K I R P A P E
```

ALLSPICE	CORIANDER	LICORICE	PEPPER
ANISE	CUMIN	MUSTARD	ROSEMARY
BAY LEAF	FENNEL	NUTMEG	SAFFRON
CILANTRO	GINGER	PAPRIKA	SESAME
CINNAMON	JUNIPER	PARSLEY	THYME

Sports

```
D T C M A S M U E P H C N B F N T F M E
F L R W Y N E F R V J A E F O C Y U M G
C E Z D E I M Z O W I O G T O O R O C A
D R N P I L I L Z R S F E E T A S R T G
L S K C E V L A T W I I N O B Z Z L B U
Z R D P I E I S O A N S B H A M S J A Q
W I Y Q Y N E N W M N H Z I L Q W P P W
I G X B J U G N G P E I E T L Z I P S N
G K A C Q Y H P S F T N Q W B Z M J K M
Y L B E P V C J S M L G L I S N M X I S
L B L Y X D C L H X K O L X L Y I V I C
S D R A O B E T A K S L G M L R N H N I
R Q D J Y T R A C K I R P L A E G G G T
K H H B Q K W T H A L C M M B H E H V S
P O K U Z A J D R T V V K Q T C U T S A
N C N J N O D D Q G I V Q I E R G Z Z N
K K Y J R T S U P E Z B L T K A G L B M
B E S A I L I N G G Y J C O S C S Q H Y
Z Y E J A C B N C A A W E Q A X G J E G
L L A B E S A B G H L W P L B U N Y S M
```

ARCHERY	**EQUESTRIAN**	**GYMNASTICS**	**SKIING**
BASEBALL	**FENCING**	**HOCKEY**	**SWIMMING**
BASKETBALL	**FISHING**	**HUNTING**	**TENNIS**
BILLIARDS	**FOOTBALL**	**SAILING**	**TRACK**
DIVING	**GOLF**	**SKATEBOARDS**	**VOLLEYBALL**

State Capitals

```
T K X A M O N T G O M E R Y D U L J D Q
K G P K X L Z G J T Z L D C C T R P G S
O X F N O M A N R B V L L A D V F O C I
J L J G L A H X W U E X R T I H Q P V L
G C X G Y X F F O I B S U O M B X H Q O
V N Y S M Z K Q F T O S U I O P H Y A P
F Q R A P E X G I N A R I I U Y W N D A
P A Z R I L N H C F E L S R G H C A D N
N V D J A I A I I I U E L Y R H V B L A
H M P D R G T M L F A W A A A E A M L M I
T X C P O Y I E M F P R B Y H R H A V D
C X S H W G P A E C A I E B B A V L E N
A C K J A T I Z L N W N E P Y A S R Q I
S P Y K N R Z I A F N H P R U Y I S O J
I K P O O Y L L S E H G V S R D K R E O
Y I M B Y J J E J I R O T A K E P O T E
J U N E A U R T S N R I O W G O U P B M
I C O L U M B U S T N J Q D N P Y J L E
L U V I E X U B P F O F R A N K F O R T
P H O E N I X D C G A N W Z W V S P S S
```

ALBANY	CHEYENNE	JUNEAU	PIERRE
AUSTIN	COLUMBUS	MONTGOMERY	SALEM
BOISE	FRANKFORT	MONTPELIER	SPRINGFIELD
CARSON CITY	HARRISBURG	OLYMPIA	TALLAHASSEE
CHARLESTON	INDIANAPOLIS	PHOENIX	TOPEKA

Stupidity

```
V C L U C K H V R I Q Q Y O U W T A Y Z
R W F F A T B M I X J H X K R L N M O L
S I P K E M K N X G I Q B F I D O S G U
Z F G P T H C N I N I A R B T A N G A Q
R H O N D C T Y O A P Z U Y S R C F D P
K D L V O I S O C T R A U G K H O M A F
N N H I Z R M O P P H B T F O O G W E D
E B U Z M M A W F P Y E E I W X R D H J
L A P C Z H E M I Q M R A M W H K O K I
L D K B K N Q X U T M T B D A T R H C B
E J N E R L J I E S U J F J O L I Y O Z
B N U J X S E S I X D U L W R M C N L D
B S M L J C E H G E S G A H H R E J B Z
M I B J C H P I E E J H V Y U H O L Q F
U W S C I N K S K A A E X X F W T L H
D L K U I O B G A T D A T A O I I P H M
D Q U I I O Z G C E G D D O H N P M W C
G M L H Z K I G D B L Z D I N G B A T U
T S L O M Y S C N F B W W G Y K W Q B T
G R R Z K R D F A L N I A R B D R I B M
```

BIRDBRAIN	**DINGBAT**	**GOOF**	**LAMEBRAIN**
BLOCKHEAD	**DOPE**	**IGNORAMUS**	**NITWIT**
BONEHEAD	**DUMBBELL**	**JUGHEAD**	**NUMBSKULL**
CLUCK	**DUMMY**	**KNOTHEAD**	**SAP**
DIMWIT	**GNATBRAIN**	**KNUCKLEHEAD**	**SCHNOOK**

Superstore Departments

```
Y H U O K P G E O F C S C G R O C E R Y
K L F E S W O M E N Y L W P O L B J H Q
C H E A L T H D W R C O O E N K Q N H A
C Y J O Y M E N A H I I Q P H I B N P M
F A Y K E G Y N Q X A F N B M Z F P O X
F I C T M S O A P N J R O O P W L F K B
E Y Z N U I H H N X U X D N R I E H V E
X T Q V T A A O J F D F U W A T G J Q A
J H F A J R T S E Y H P Y N A R C F M U
O H T D M R J D N S H O C Y W R W E P T
U S O A G F V R H A P E E R Y M E U L Y
F K C H A E F J O S C Q O P T I C A L E
N Y Z W R L C S U A Y K D J V E M E B X
G C V A D I Z Y S F G O B E A Q O T W P
K I H A E N E I E P K F T A O X T W Z W
E Q S V N E G Z W G S H A B R T Z Q H B
S E A S O N A L A J U V O Y F N F A Y R
Q I U Z L S B K R G P U W S T N A F N I
Z H D Q R R D N E P I H C X H R F Y J I
S R E L D D O T S W N L W E Y G L X X H
```

APPLIANCE	HARDWARE	MEN	SNACK BAR
BEAUTY	HEALTH	OPTICAL	STATIONARY
ELECTRONIC	HOUSEWARES	PHARMACY	TODDLERS
GARDEN	INFANTS	SEASONAL	TOYS
GROCERY	LINENS	SHOES	WOMEN

Tailgating

```
M F R E G N Z W O U E Z T S G O D T O H
P C Z L L I R G G C A C L P S V K P G Y
H T S U N F C N I A U K O Q B X T A X M
P O A N D B C M V H C S Y O V G M A Y C
R T C W U H Y P A F X Z E H L D E S K T
X J H B I B N G O L S Z I L H E P W G H
L I D P F G K Q Q J E G L C K I R O E T
N R S U M U S T A R D U A C D C R D D X
E V B F H A M B U R G E R L N O I I E Y
K C X J H R K F O O C P P S F C P P B W
C Q U H Q A Q A W L C Q O T N M G S B S
I P F R S C I P R A H Q X S S O A F D M
H R D M J H N I V Z A T K L N G I E W L
C R L L L U G Z Y J R A X I M Q B N T C
X S Y R U B J Z A G C R A L U I S L O Q
L S P B E V Q A V N O B H D S H D T F A
S T B E C E R T P Y A T O I I S A T R T
D R R T L O F C S D L Q N L C C F U G I
X E B D S O D A P O P U R Y O L G H N P
L C F P F L J V T P T J R S O B C K V G
```

BEER	COOLER	ICE	PIZZA
BUNS	DIPS	MUSIC	RIBS
CHARCOAL	GRILL	MUSTARD	SODA POP
CHICKEN	HAMBURGER	ONIONS	TACOS
CHIPS	HOT DOGS	PICKLES	TEAM FLAGS

Take a Hike

```
I F U Q C T X N B C K O J B Y V J A N Y
T S F O O Z I U O F D P B T S G T V D D
N A R Y X G L H I B Q A A R T L D T E
E Q G R D E I R D G R O E S O A V H V J
T F L K D Q U P A S U G U M K I I V I Z
S Y O N W V P P R B E T O N D I L L F Q
W N V S P A M O U T A Q I S F I Y E M E
W K E D K V U N L J L F S P K E C W T J
E N S U X F B C X J E X B D R L G X N W
G R D C N L I H I S O E Q O S U N R O N
S E F T U Y W O M J L Q G H O R E W O P
H T Z E W E R P J P R E I T M T N D X Z
X N B L P F P L U M K K E S U T S A D R
B A X P H M E P C Z E C F P E D W V O P
I L G X X J J G J B J C A K I G I D J Z
P R S C M D B A G L R T C P S N B E O R
E A Z S M B V I T K R A H M K S G K F Q
S F P M G N I K I H J W A Q P C O A R S
A G B E M E T C D C R L U E M G A C J W
O A P M R X V U I I P N C J S P Z B Q P
```

BACKPACK	HIKE	MAPS	RADIO
BAG	HIKING	MIX	SLEEPING
BARS	JACKET	PAPER	TENT
BOOTS	KNIFE	PONCHO	TOILET
GLOVES	LANTERN	POWER	TRAIL

Take a Hit

```
G R D Y Z K S L W T N B U F F E T F N E
O N E N V T B W Y W C D D J S L S W U X
R D O N R H T A G J L T H F U I M D J T
U Z P I N J L L D Y R Y F B I P A R Q Y
N A K P K I I L M H N T L I T B C J Z V
R E O I Z G W O H F S D O H Q W K M E G
O D M Z U T F P J S A W H C N U P O M P
Q X R T K D U C E K D U F C O I L F V Q
G P C P L Y M C V I T L E B S Y J Y K M
Z X L A P X C C O W O W I P V D M J C U
T G O L C U Y H A G B J O V E P A F X X
O Y U S S E B S B K A A C H W N I X N E
H S T W K O Y J T I T G P I B S U G Y Y
S K Q B H S R Y M M E Q O A M I V M Y N
H E A C L I W E N Y E O N X O P Z I K E
H P G L O O O F A L M G L C Q Q A N F J
Z B D G T U W D C C A Y E W J D O C C T
V Q O F T X D N R H X G Q V C D W T B
D S Y N Y I V Q R V N G H D K R Y Z C Y
X X U M K T H I D Y K F X R L R K B Y I
```

BANG	BUFFET	RAP	STRIKE
BAT	CLOUT	REACH	SUCCESS
BELT	IMPACT	SHOT	SUIT
BLOW	KNOCK	SLAP	WALLOP
BONK	PUNCH	SMACK	WINNER

Take Me to the Ball Game

```
F Z J F I R S T B A S E I P Z J R Q T O
E S A B D N O C E S B M M F H D Q J C C
U C P I T C H E R M U A U N U R E M O H
X C H B S C E X I U N O C I R D D G G A
H T U D R S E T U A S U Q J D J S U P U
Y R J A I B T C G H B T I K P A B Y F M
K W Y C A I A E W D H F T T T E T J L P
L D M L Z T R C K I W I M I L W L S M I
I P L K C E M O H D Z E D M H J G R E R
Q Q D H B I T I L B S L T J E W C K I E
C P E M M O R Z B L A D X T Q X S C R T
K R O W Q M E K D F A Y P F E O V W L E
R K Y W H J R A C R U B U P X K L N V X
D G E S A B D R I H T G E I N F I E L D
I U O D M J D E C M C U H S E P T Y V J
U G G T B E S R R T F Z N A A I Y V U E
M P R O P E N I N G D A Y Z P B N F Q B
G Z S B U Z B H J B R V T H I G J V V M
R A V W S T R I K E Q A M G V U L Z E K
Z K S O Q Y O B T A B N R I Q R V F D Y
```

BALL	FIRST BASE	MANAGER	SECOND BASE
BASEBALL	HIT	MITT	STADIUM
BATBOY	HOME	OPENING DAY	STRIKE
CATCHER	HOME RUN	OUTFIELD	THIRD BASE
DUGOUT	INFIELD	PITCHER	UMPIRE

Terms for Keep

```
I W T O C C W D V O V C O U H A C D N P
B D V P J T R S O T E R U R H G Q K I P
Z U O T B E U E N L O V E P J V P N A A
Z E I P P P R R E B U A E S N U A L T O
L G D R P T E B Q J F S I H T X B C E T
Y E E R E T R G D T B T B I U R Q E D E
V S E N A A O B E Y P E J N T R A T I R
S S B I T O Z K W H R X W D Z P K I W E
S R N E R M A I N T A I N E W P M R N H
V Y H Y A Y M T S V B N Y R X Y A K U D
S P G O V A Q F E T E T T V Y O X Z D A
K U L O L T Y L V E S U S T A I N G P G
U T E J I D W D R D H H P C N E L C E B
C P U O N C T S E E J R W R U B U M R L
J O N C M P C X S Y W N F N E L G C O P
P S N Y U U Q G B R V S I T K S D I I P
T S C D I C H L O C L T M J B Q E S I M
N E W Q U L I N T E N D R A U G A R B K
M S N R Q C K P F O T E D I P G I T V K
A T P D A Z T S C F R E Q U E N T E V E
```

ADHERE TO	**FREQUENT**	**OBEY**	**RESTRAIN**
CELEBRATE	**GUARD**	**OBSERVE**	**RETAIN**
CONDUCT	**HINDER**	**POSSES**	**SUPPRESS**
CONTINUE	**HOLD**	**PRESERVE**	**SUSTAIN**
DETAIN	**MAINTAIN**	**REPRESS**	**TEND**

Terms for Quick

```
N P X R D J T B J Z J N N A D B T V A N
K G A X B W R P W V N B B B J F I D T Q
D E I T M Z J W M S Q E M L K O V N D J
W Y G K X P I G Z O W V E A F W E B Y B
E W S E C T R X H N R L X K C G B Q Q W
R C K S F Q A E R N I P D H I K K Q O X
H L G I X K E E C V G K P L D G E K Q I
S Q W F W U V R E I X N L Z E L B G E U
K S Y L Y E C L P I P E C T V L B G X T
O J U R L M Y S J Z T I N B I I R Y P N
B B E C X X U P C N B K T R A P I D E T
F P S P R A H S I W K T S O H L S C D R
P A H P N W V J T H U Q E K U V K L I B
J V S C R H E Y R E H X S E F S G V T V
O K A T N I U C E F I O F Q L A Z R I K
U V E A Q F G M L D H L P O W F Y G O K
M J F L B Y E H A B C O J Q E T C L U G
V E L B M I N P T X O D K S S S I F S E
T B W E G J N J C L N G C A Y D E E P S
O L O A D R O I T A Y R H B L J Q H R K
```

ADROIT	FAST	LIVELY	SHARP
ALERT	FLEET	NIMBLE	SHREWD
BRISK	HASTY	PRECIPITOUS	SPEEDY
CLEVER	INTELLIGENT	PROMPT	SPRIGHTLY
EXPEDITIOUS	KEEN	RAPID	SWIFT

Terms for Ready

```
F A C I L E Z X N A C C E S S I B L E J
B S G X G S P C M A U W I L L I N G J I
C A V A I L A B L E U A M P J Q X B A L
O G V O Q L F I K P P B T C H A N D Y Q
M L G W Q U V R R D D O V X U U Z H J C
P L D O U N D J E E D K D T A L E R T R
L N N D I T H N R E J S O R L Q A P T Q
I J W L C O Z A D I X F C E V N A P T D
A X T C K U P E M D M F H P I G T D Q G
N S U O R E T X E D D P D X O N S K D C
T T M X R K K T C G X E M E E I L E J G
V U N P R G I S K W T F O Y O T M V Z K
F V Y I M U Y W Q T N C S H Y A T I F U
Y R B S S Q K L I O U D X L Z T L S Q T
P R O A A M X F W J X R Y E K I K N D X
U R S A V E J L T C P Y W F A S N O Z S
F F O L Y C Y E G S O B L V O E H P G C
T B M M L U F L L I K S L F M H V S N S
Z P R C P N D Y D L T I L I Y N N E V H
R Q W K B T H K J K Y Z N Z M U Q R X V
```

ACCESSIBLE	DEXTEROUS	FREE	RESPONSIVE
ALERT	EASY	HANDY	SKILLFUL
APT	EXPERT	PREPARED	SUITED
AVAILABLE	FACILE	PROMPT	UNHESITATING
COMPLIANT	FITTED	QUICK	WILLING

Terms for Stay

```
A M C U B N T V I O W F D P O B F H O K
P R I V L I B S M J R Z N X J Y R I O M
X B T A A E H A L T X Q D O T R U N V M
G C V W Y U E Y C Y G U I S D A R D S K
U K T P P V T O K R F U E V R E T E J A
C S N I S W N F A S L R L R N E Z R Y Q
N Y H H A T I I H U Z A E U K Q N E U D
I K U I I W L Z U P M S Q L P T Z G X Z
A L V N O R A E K P T H D R Q V G F J X
M R U O D X E W C O F G D A B I D E T M
E E C X T W S G Y R X T C U E S O P E R
R S X Q Y F E N N T D K S T J N J K F B
Z D E J K M F L X I X L B U R D W Q U U
H L E L Q F H C L C L U O X R P E J G M
P V T L R E S T R A I N Q H N T I A X W
C J D Q A S T O P Q I N W D H O A E A T
E M W E F Y X Q C A Z Y Q B E T V Y U M
M I W O M C L P G D M F O E S S I N Z P
L Q A N S G I J H D L O H G I J F W V P
Y T S T C U R T S B O Z C K L U X Q F Q
```

ABIDE	**DWELL**	**OBSTRUCT**	**STOP**
ARREST	**HALT**	**REMAIN**	**SUPPORT**
AWAIT	**HINDER**	**REPOSE**	**TRUST**
CONTINUE	**HOLD**	**REST**	**WAIT**
DELAY	**LINGER**	**RESTRAIN**	**WITHHOLD**

Terms for Tell

```
Y F M F U K V X M C N K R Z L Z T R Y X
T Q M T D X Y O J D O A E E Q M A J W G
G Z T F X N U B T A C M R T G B M F A V
D E T C L Q D O S P A T M R I L L B P K
R P H U H X Y C O C L Q V U A C U P J B
T I E Q H N E X P L A I N Z N T E V H M
N Y Z Q N R S M E E E T F N E I E R I E
U E I Z T E X B E X K V A T Q X C W N D
O S Z A D K E E E Z I L A B R E V A E I
C Z I P W G R X Y P Q A W I F C O S T S
E N R D D P O P D J T R O P E R C T V E
R F G U H R B T W Z P R W C V R S E I D
J N J I K F R I U U J M R R I D S A D I
P D L F L Z N Y B Q F E M B Y I S C I S
U F E L V F H L K X K N E U H J E H S C
N F J T O W I N D A T T I N T I V T C E
D E K R A S S J J J P I S R O Y G M L R
E C M W H T Q C R P P P O B I B B M B O N
H M F H S C S S O L G N O M T P X M S W
A M M A M S G P G C I Y A R T E B U E J
```

ASCERTAIN	DISCLOSE	MENTION	REPORT
BETRAY	DIVULGE	NARRATE	STATE
COMMUNICATE	EXPLAIN	PUBLISH	TEACH
DESCRIBE	INFORM	RECITE	UTTER
DISCERN	JUDGE	RECOUNT	VERBALIZE

Terms for View

```
B B Q T T S D N O I T A N I M A X E K O
L U Y H S T U O S O Z W E D D G A R I H
R R G N E U P I M J D Y N S N E C U A A
A I B H L M J N N N S Q T E O G S W P G
L M H N G I I I O D U F M W C P U I J O
K Z Q L Z A U P Y B V I S I O N R X G U
D V O Z J A R O U O J T W Q K N U U N N
J U D G M E N T H E C E D N E O S O P A
I R Y Q K H T H G I S A C U Y Q I D F M
N W B T F Y S H Y H C Z S T E S E N B O
S U L A M X U R U O Y D F W N T Z P T J
P X W L R R R L N E Y I L E A L S N L N
E E C H C K V C E X B N H M F W E W O J
C F L O N I E Q P N E E I V D M S I F Y
T L E X X P Y S D D R T J T I D T S Y L
I I B N T B S O I P S C O T U N H N H S
O W Y I V W Y Q P E I W N R E R I S C M
N Q O H U S X A W C E E S T K Y C E H Q
U N N U U Q K E R F S I N S O M N S Z N
C I I Z D A C M T C H I C R F E I X U Q
```

AIM	ESTIMATE	LIGHT	SCRUTINY
APPREHENSION	EXAMINATION	OBJECT	SENTIMENT
CONCEPTION	INSPECTION	OPINION	SIGHT
DESIGN	INTENTION	PURPOSE	SURVEY
END	JUDGMENT	SCENE	VISION

Terms for Weak

```
L I E V E I T P L A E L B E E F H P I T
B S N T M A L L E A B L E I W G H M Q N
M K F P O I N T L E S S D I W X V I H S
P O W E R L E S S R A I S W N W F L H E
E K F K A J Z W P B T H V Q P N L E C V
N C Y L P G T P Z M Y E K Y N K I N V G
M C D D A N G E C W H I N D A Q D F G R
I H T E M B J F A B L U A D L Z J B U F
D O L L T Y B S K R S K K T E M J S N X
G H G N V U H Y M B Z X C V C R P R S Z
C Z E D U Y L R Y L I A R F L I H X O T
L I N F I R M I Q T X K C E R S Z O U N
S W A T E R Y X D U M D G I L F D W N A
J H U D I Z R H H V W M T N U I F Z D I
Y Q B W U Y G W Y O I L G D E Y G D N L
H S C Q M C H U S Z E U N Y D A Y A P P
Y P M T O Z T H J S D Z G Q X Z P U R G
W M T I F P I I S Q B R M L B Q T N L F
X V N T L O D D L F M B F M G E U E G G
Q Q Y E C F S V A E G U N D E C I D E D
```

DILUTED	FRAGILE	PLIANT	TENDER
DUCTILE	FRAIL	POINTLESS	UNDECIDED
FEEBLE	INFIRM	POWERLESS	UNSOUND
FLABBY	LIMP	SOFT	WATERY
FLIMSY	MALLEABLE	SPIRITLESS	WISHY WASHY

Terms for Yield

```
V M J X Z E T C A J I Z K F B C M C N Z
D A S V O H L N N G Z L K Y Y O G X X B
M Z U K S E N G E N D E R N O N I A D S
J Z G N X V R G Y S R Q X I W S W F S L
F C M V B Z U H L V S E I E Y E J F J Q
K D S Z P B T P P T R A L V W N Q O G I
V X D M C K B S P M E Y P I E T M R M T
G R A N T N G S U T D W I G N J F D F E
L Y L Q E C V L S U N F Z W C Q W P Q K
J U L H B I J V H V E D S Z V K U O U T
B R N P S P K F N D R M A Y H V U I S Y
R A E B M I D G M E C U D O R P U A S R
T U O M F O N U N C E U D A K Z C N B H
A S V R M B C R H P X S S R G Q P V O O
C A U O E M T T U R N U U N U R X H H T
C E V C T S H Z P F B M Q I V Q E R H H
E G C L C W I R P M V L E D C W T E A Y
D B L O C U Q G I U K S B L J U P T C L
E S S I W N M T N M C Q B P M A H M K U
H E V K V L P B U E A C A K Y R U D U N
```

ACCEDE	**BEAR**	**GIVE IN**	**RENDER**
ACQUIESCE	**COMPLY**	**GRANT**	**RESIGN**
AFFORD	**CONSENT**	**PAY**	**SUBMIT**
AGREE	**ENGENDER**	**PRODUCE**	**SUCCUMB**
ASSENT	**FURNISH**	**RELINQUISH**	**SUPPLY**

Terms for Economics Class

```
X E X D F F E I P C Z V A V F J T V A Q
A E X E Y N W T L D M P D G N E C Y C F
C Z C V D T Y K A X Z S O J E D D J A F
O T V A W E I N Z G F R I R I N Z D P M
N M L L W A P C N M E H K R C K T R I L
S Y E U Z N R R I K S R A T A H X B T O
U N T A I R M B E T S A G K F T S X A R
M O R T E S B I I S S W Z G P C E A L W
P I A I H Y P R F T S A D X A N K N C V
T T C O L A D W E B R I L C E O T J O I
I A I N B I D F T M P A O E U I D Q B M
O L C A Y E K O O M U I G N Q T A I X R
N F B O N Q T G Z B A S C E W I K N L O
F E G L M T N A B O X B N V V T K F P B
Z D A S K M I R C N Y S I O S E C L U T
A E S I T B O T X V M M B O C P L A Q F
P W S O F L W D R E V N C I C M G T W M
A M E L I J I O I U F D T D B O E I M X
G J T T V J K N B T S S T P R C I O P L
I Y C N E R R U C D Y T I W I N G N D T
```

AGENT	CAPITAL	CONSUMER	DEPRESSION
AGGREGATE	CARTEL	CONSUMPTION	DEVALUATION
ANTITRUST	CASH CROP	COST	ELASTICITY
ARBITRAGE	COMMODITY	CURRENCY	INFLATION
ASSET	COMPETITION	DEFLATION	MONETARISM

Textiles

```
K B I M V C M H R E U Z T Z J M A Z Z K
E F S K T V A G K U S E S R E I B H S E
B M B W K O S O M B V D W I P N U G I J
G W H Q L J H H A L G K C E Q E X D L M
R G Y R L U Z V E W P O S J R D L R K K
Y H V C Q T B V W N W P N V P A D X T D
W X I W N E O Q J E X A U X T J Y R X K
B A R C Y L G C L N D K Q N M U E O O G
H D A R W A O S V I V W E O S T R I N H
F W V O K M K O O L C P H Y S V S H H D
S L U L V H U R B J T A F E H T D A F A
L C L E U J T M G M I Y Y D R E T V S V
K I N O S R J J I R A L V A N E L L K F
N L J T O G M M Q C O B W N F O X X D I
A Y F G Y W I C S P J L Q F P E E O X F
M R S L N Q U E O Z N J A B R V T O I N
C C J R A J Y Z M T J T X U N V Q N O L
D A S F I X A R O V T W L C O J G L D Z
I D T Q W D F B J N R O E E C E Y I L V
Y I W L R P B G M Z R H N U O N V A U Z
```

ACRYLIC	**INGEO**	**LYCRA**	**SILK**
BAMBOO	**JUTE**	**MOHAIR**	**STRAW**
COTTON	**KAPOK**	**NYLON**	**TAFFETA**
DENIM	**LINEN**	**POLYESTER**	**VELVET**
FLAX	**LUREX**	**RAYON**	**WOOL**

That Animal

```
R P V E E O H I P P O N X K P S M B N X
E T R Q V G T D L N C X O A K T H B G U
G T X K T A O G N B X C H I T R E E X M
I G G O Y E K R U T H O S Q L I H D E G
T J L M D Z C G C N R I C C F L O R I P
Q R A D C G Q K Z S T D G R G H L R C K
H O K O F Y Z X E X Y C M N A E A A O V
D F P J N G C K H V F X F K U F K F M Y
U S K F S B M A F J K P L N F A Q P O A
O O H D C M F N S R V I E E I I B K S G
C H O W L D O G L N H L L K F F M G V I
M S L W O D Z A D E S B E C F W J R T H
E B G A S C R R F S A I P I J V I D V R
X B F A F O V O G O W W H H C X I K A D
D D C Z P U D O I O Y K A C E A R B D O
D O A E E I B Z F G P K N N K Y B B W Q
S U N M N W G K J K B O T B A I H D S X
H H C K B Q D C Y O E T S F T I A G Y I
T Y K K E R Y R H I N O C E R O S Z S K
R B W K T Y Z Y U B A D P S A P W Z D W
```

CHICKEN	**ELEPHANT**	**HORSE**	**RABBIT**
COW	**GIRAFFE**	**KANGAROO**	**RHINOCEROS**
DOG	**GOAT**	**LION**	**SHEEP**
DONKEY	**GOOSE**	**LLAMA**	**TIGER**
DUCK	**HIPPO**	**PIG**	**TURKEY**

Transportation

```
O Z C N I A R T U E O E N A L P R I A P
X C W J U I U E A Y O O E D Y P O D J K
X V M X K V T R U C K G P S C O O T E R
P O E E L I B O M O T U A O R R Q H H M
K L V E S T S J N D K U A E T O V C V K
S R A F E P D E L S G O D X I V H I M W
K A O E R W R V Q V D O N S U B W A Y O
A H F T J S L O G I A S D P K D J U M R
T E C H C F Q X N P W A R S C E C A O M
E G J Z G A P F Y G H Z I F N T B Q T O
B A N Z S I R K E A W D J O R E G S O T
O A H Q X N E T D W C J G O R E X O R N
A N C X X V Y L P Z M A L A R X A P C S
R X Y I J B X V S H W L C X B I K E Y X
D V R V X C H J X Y E E B Z U G E T C I
M G H P D A Z G M Y L O H J Q X P W L Y
E I K R L A T H I B A Q A T U D C B E R
K Y Z P I Q X I A T F G I G C X A R L R
Z H G T K N K C X I Y D H Q N W X Q K E
T P Q K C X E R Y U J S F X J U V X J F
```

AIRPLANE	DOGSLED	SCOOTER	TRACTOR
AUTOMOBILE	FEET	SKATEBOARD	TRAIN
BIKE	FERRY	SLEIGH	TROLLEY
BOAT	HORSE	SUBWAY	TRUCK
CABLE CAR	MOTORCYCLE	TAXI CAB	WAGON

Trees

```
O X F J H F F H P C T G A A F M T S O I
Z Y K Q R C J O A U J P G N H Z V P Z R
W O D C H R P C N W U W I L L O W R F O
G B D R P L E T L E T C S A C K Z X I G
Z K T P A H S S M Q P H V L I S H O X D
L W W R V E W L A X K P O I X N W F X E
D O E Y H P U X Y H X F H R O O E I C L
V R I C A O F P R E I S O R N W M A T K
C A C O A C N E P S A O Z J O B N O P C
I Y K L Z B A N T I E P U Q S E H M H U
C S D O B L M L R G C H C L R R A A D S
V E H D F A H P I J U B D B L R Z Q I Y
R T P W P C A O A L R G R H D Y E E F E
Z O Q L A K R I L K P T X B G K L S T N
D Z E K L T E W T L S Q K K H F F P E O
V U B B F H P X J N Y W A C Z H I C A H
E B N I T O I K V X F H R Y C N M V U U
I S D Y M R N A P U J I G E E H T J V D
U Z C H V N U O R R B Q E T H H V E Z I
M Y V T S G J I A U Q B K M M M R M B W K
```

ALDER	**CHESTNUT**	**JUNIPER**	**PINE**
ASPEN	**HAWTHORN**	**LILAC**	**POPLAR**
BEECH	**HAZEL**	**MAPLE**	**SNOWBERRY**
BIRCH	**HOLLY**	**OAK**	**SPRUCE**
BLACKTHORN	**HONEYSUCKLE**	**OSIER**	**WILLOW**

Turn Up the Music

```
Q B S O D C A L L E G R O L P E D E J E
K U O R Y C A F B R N V F M P Y O U Y G
W K O Q V M O N R R J O W N M I A I K K
F H X M I S D N T T K D T D H H J M M G
C B O E Y M L X D A Q O L E W M T K B L
B R X L Q L D B Q U T A N U J C D Y I A
L A P O X U B C F K C A P P X F X W H T
V S T D W E J M P I V T F Z M E L Q K R
U S R Y Y O U Z S I Q G O L Q S C A L E
Z Q E T U M O U H V I S N R Z S D J Y J
V T S A P T M D N E E Q A F K X E N S N
H R E E U R I F W Y P R J T K D N Y F K
H M D B N U B Q Q I T R C T U Z N S P L
E R U S A E M H R S N B R O L O C E W M
J L F I L R O P E Z D D Z T M I G M Y N
P V T K Z T B H O P X W R R R P X H G I
T O E L W V C O D R I P A Y O Z O T J K
M O O G X R P S J B Z H L T O N E S L T
L I Z K O S C E S S A B T A D J P S E S
U X H Q F G R E C N E D A C P R H M S R
```

ALLEGRO	CANTATA	LYRICS	ORCHESTRA
BASS	CHORD	MEASURE	RHYTHM
BEAT	COMPOSER	MELODY	SCALE
BRASS	CONDUCTOR	MUSICAL	TONE
CADENCE	HARMONY	NOTE	WOODWIND

Up in the Sky

```
D S T W Q B X L J Q J P P L U E C N M Q
B S U J S A L C C E H N V N H O Q K X E
S V D U K L R E T P O C I L E H O R O M
L V N V O L U S R S A T E L L I T E H S
E X Q T N O D H E U J A Q A K X F E V Q
L S P E D O G K B T R D P M A J R L H H
O U K B J N V I H H U J D L A A N G N G
H L K R S D U O L C T H J A A C S A Q X
K T H Q O C T N D D H L C F R N U E W L
C P C O R W J R O S H S X A Y M E O Y Q
A E B T O P E F U L C T O G R G O T N N
L H I F X D P R E M I A L P A A M X S O
B N M I R S C T I E S R P L Z M P Y Z O
D L X L Q T Z I N F W S A P Z K Y K U M
R E D I L G G N A H N X E I I G B O J L
B F K K S C M Q J O I C Q G R Z R N C A
W H I S C O O Z T E E A S Q Q Q A L C Q
B K T K O M C E S U T R E V I D Y K S W
E F E G Z E B E Y U J Y L F R E T T U B
H R S J L T U C S U Q G L I H V H F O K
```

BALLOON	**EAGLE**	**JETS**	**SATELLITE**
BLACK HOLE	**FIREWORKS**	**KITES**	**SKI LIFT**
BUTTERFLY	**GALAXIES**	**MOON**	**SKYDIVER**
CLOUDS	**HANG GLIDER**	**PARACHUTE**	**STARS**
COMET	**HELICOPTER**	**PLANETS**	**SUN**

U.S. Bays

```
O K V K L Q T D D N O T G N I R R A H C
U Z W F U N T E R P E N O B S C O T B J
V R E S U R R E C T I O N R U V E L A Z
W K M O N E R E Y E D Z M A K G E M Y U
W H V R X Q V Z L O K L M M E S A A J Z
A H H L I P G O C S A C O F H I C W G P
D E K B G X O E L K H Q H B C K Y W E B
H J G H O K V Z Z W D G W A M M S L Z D
W Z M Q U L A E I K I N C M R U O M F D
M O N I C A I T S L P E V C M H H W Z F
Z Y E J Q Y G N P G B W Z C D F X L T F
C H C S E F L K A W Q A G R G T T R Z U
G S N A M P A B V S B R A O O M S Y O B
E O S T I S C S O U T K O S D Z C I R R
S T J I O N I S I D E O Q K J E R I M S
O Q M D C F E L O S E H Y A L D S A H P
X J A I I L R S V U Z G G M M T H U L L
L N J E G E W X A E D M A L O L C J S G
N R B G R Y O I M N R V A L E S F O Q X
P N P O S O V F K F Z Q T P G U W G J V
```

BODEGA	**DRAKES**	**HUMBOLDT**	**PELHAM**
BOLINAS	**EAST**	**JAMAICA**	**PENOBSCOT**
BRISTOL	**FUNTER**	**MONEREY**	**RESURRECTION**
CASCO	**GLACIER**	**MONICA**	**SAN**
DIEGO	**HARRINGTON**	**NEWARK**	**SILVER**

U.S. Dams

```
L D S E R F M K O S T A M P E D E H P F
P W D U L A C G B L T K Y R T F H Z U V
L P V C P E N N L I A X Z D E J W H W O
K O R K P I C A U F I X A V Q V U A Y H
B V X T W R T M Y S X X N N B F O Y V V
D M R O H S N Z K T R E T E C U K O B K
F O N N Y V W B U R E V A E B A T F H T
F O S R L W U J A M Y T G O A T R O C K
C Q C T Z S I L C G Z P O H X G R P F W
Y K L S C D A H X Y N D D N I U Q L A T
G V E Y S L E U P O I E B T S N J G N B
A Z E E J N O T I E V J L Q D T G U K L
B H R P R N I U D U O S P L I E L E I O
E I B Y O C Y I D D O A M M P R E Q I Q
R W T Y S A F F K A B V K F A S N M J Q
D J I I W G F L W T K I P M R V E Z X U
E G B N H U X U O Y U L E O N I L B E Z
E M O C S C H S V W X L H Q O L D H X I
N M J K Y O O N U T J E F C O L E W C C
L Z U G M M R C L T U I T O C E R I F V
```

ABERDEEN	COON RAPIDS	GUNTERSVILLE	STAMPEDE
BAGNELL	CRYSTAL	HOOVER	TALQUIN
BEAVER	FORT PECK	MCHENRY	TETON
COCHITI	GLEN ELDER	SAVILLE	WINSOR
CONOWINGO	GOAT ROCK	ST CLOUD	WOLF CREEK

U.S. Forts

```
H I U I F K R K A E J S C M G N J E Q Y
L T R E O G O P F Z P S M E W S I L L G
B L R U P K D N D W O T X A O Z R V U I
C E U O Z Y R J T H L W G D T B Q H R D
A F N D W C T F Y W K F S E W R R V J I
M P Q N S N M F B U G H T T E A I E M V
P F L O I C E K J X S R G G U G C N R S
B R P N U N Z V O O Z E E J E G H B R B
E E D O R V G N A R F Z G E P L A P T G
L K I S C C K C W E M J I R L D R R Z D
L C X R M J S U E M L V A E Z Y D I C L
R U A A H W A I N W R I G H T S S X T B
N R C C D U U X T O M K F Y H L O F T O
O B E E F F A H C F K T I A F M N V H T
S P H Q S W D C M Q J L F K J T M W L M
K J Q U X I V I H G Z T H X U R I Q B E
C Q O Y S G C F I U E M N Z A M M J M L
A T Z J H C S Y K R C I S C V T H X W L
J H D N D N P Q E H Q A U I I I O P E I
I G X M A P S K I A W F M T G N H N N G
```

BENNING   **DIX**   **JACKSON**   **RICHARDSON**
BRAGG   **GILLEM**   **KNOX**   **RUCKER**
CAMPBELL   **GREELY**   **LEAVENWORTH**   **SHAFTER**
CARSON   **HUACHUCA**   **MEADE**   **SILL**
CHAFFEE   **IRVIN**   **POLK**   **WAINWRIGHT**

U.S. Mountain Ranges

```
I B S A N T A C R U Z L J L F S V Y O J
G B P Q I Z Z M Y N C A S C A D E S C Y
N R J F Z N H X A Q G K S G M Z O K J K
L Q E C A E B K L R P B I Y M L D Q Y M
U Y J A N D S V E X O G E U L T N A Z U
H A N Q T A N E L D F B R P Y O A T K S
H G Y X L S N V T I L R R H I O L A I A
C E S A M J M Z J Q A O A A B R R H Q N
D A P E E R Z O K X I O N P Q R E U T G
W A T R I M Z D K M X K E P I E B P A A
X J V S L K C L U E Y S V A D T M H D B
Q T H T K U C I L J J Y O A L Q T U I I R
R T V R C I P O P B S V D A D I C J R I
R O L Z D X L O R M N V A C S B C N O E
N C R K K R F L C X Y Q A H F X V D N L
E I U J D L B I S O D L C I O T I L D A
B D T J T S I K V G N R O A N D N U A X
A N X O Z C I Q R C B O S N H H U R C X
Y E K N Y N E H G E L L A W B I Z U K L
A L E U T I A N U X J B L U E R I D G E
```

ADIRONDACK	**BITTERROOT**	**CUMBERLAND**	**POCONO**
ALASKA	**BLUE RIDGE**	**ENDICOTT**	**ROCKIES**
ALEUTIAN	**BROOKS**	**GREAT SMOKEY**	**SAN GABRIEL**
ALLEGHENY	**CASCADES**	**GREEN**	**SANTA CRUZ**
APPALACHIAN	**CATSKILLS**	**OLYMPIC**	**SIERRA NEVADA**

U.S. Rivers

```
A C A E N M F I L V A E P E C O S K J T
R L O E C B R G L Q J V L L A L H A F H
X G E I Y U B M A I W P L I B D P N Y Y
G R E X O E E S S E N N E T B D Q S K L
G I A S Q A P J Q X U D Q E J O P A A D
O C S M D Q I Z V K F K S J M Y M S K V
Y I M H D J K B C Y L X O O E Y O F A V
M K M Y E B Z C M I J U X N Z S R E D D
E Y B D I T G E S U W D O K W A H K E M
X I R E K B T T P N L T R C D H R J E I
W O N I G E F A D Y S O E P Q V B B A S
J Z V A O R M K L W M K C W F M Q S N S
N H I Z B G G Y O P A V P O N X A E I I
E O H I M V R L K N E V M N R T Q M M S
P W K B K O L A S A Q Y S R O P O A M S
I Z M U S E H M N C X T C N Z I Y J Q I
T W T A Y L T M X D R I U W H H M B K P
Y X U M D J M F U B E P U O Q Y U T K P
S A S N A K R A X O D A R O L O C M J I
P M Q K G E C N E R W A L T S M T Z H L
```

ARKANSAS	JAMES	OHIO	SNAKE
BRAZOS	KANSAS	PECOS	ST LAWRENCE
COLORADO	MISSISSIPPI	PLATTE	TENNESSEE
COLUMBIA	MISSOURI	RED	YELLOWSTONE
GREEN	MOBILE	RIO GRANDE	YUKON

Wedding Day

```
U A U X O X Q E B R H T S E L D N A C I
A C Z D J Z U N U R Z Z R G S F S Z S M
U T C A K E C S H S I X V T N E W D V D
E I X C T O R P F G H D M V E S O I C U
P U S I C B T R L A V E E E M U V M M S
X O R I R H N X O Z U A R S L Q I G B
P X L R I G R E W O L F U S M K Q U R B
V C M Y D E L O E J D Z T T O A H U O A
H Y H I D R D J R G T C B X O Y I J O B
C L P I S E C R S Q S B B A R K T D M U
J A R H J C L E P I H D U Y G I A I S F
T B M J B E V V W A M J B M I R N D O H
B E X H H P H O T O G R A P H E R G O E
E U F N F T T C J I T A B O Q M P R S G
T D Y K R I L E T S C U X S V G G J N T
L G B V Z O S Q N W O G X H H A W I C L
P Y G D L N A L P D Z O Q E N I C W A A
R R I N G B E A R E R H O I D N F D H Q
Z D I M X I M K G I F T S K A O D Z B T
D E K Q E D I N B K C T V D I C T W J X
```

BOUQUET	DANCING	GROOM	RING BEARER
BRIDE	FLOWER GIRL	GROOMSMEN	RINGS
BRIDESMAIDS	FLOWERS	ORGANIST	TUXEDO
CAKE	GIFTS	PHOTOGRAPHER	USHERS
CANDLES	GOWN	RECEPTION	VOWS

Wine Tasting

```
U R E T J O B R B H P Z T P W E M Q D E
D F I S G S H E R R Y H R I K Q K A U G
M I N I S J M M R R H T R O S N Q U E B
F P E L Y C H A I P F Z G Q C O I F S T
C O D B R E D O X Q I S Q P H N V J A O
H X O A A L N U S N M A V H A G S R X F
A O K H H T A G F T O L R E M I W U J S
R U Q C O E K A Z S O U S B P V E D J K
D Q P N D T N H B H S I O K A U E X Y P
O G I R T D A D J L E C I U G A A D Y G
N P O H E V C O O T S O G C N S N K F H
N B K L D B A V I E Y R I B E A A W Q E
A U Q P V R T H R C L U R R R G Y Z Y Y
Y D S M M U W E A M M R G B E A Z D Z I
M E M G C T S B R A C P T U P V A M Y A
H R J X M F E X L A P T O P F N R W U J
C F U L A R E B X K L G N P V M I T X M
V A J Q N G E L H L H C I D Z J H R W P
I R L E H C B D E U U O P P A B S E N A
Z W T I G N S L Z G N I L S I E R F H E
```

BORDEAUX	CHAMPAGNE	PINOT GRIGIO	SHERRY
BRANDY	CHARDONNAY	PINOT NOIR	SHIRAZ
BRUT	CLARET	RED	SYRAH
CABERNET	MALBEC	REISLING	WHITE
CHABLIS	MERLOT	SAUVIGNON	ZINFANDEL

Winter Wear

```
J N K H W K C L T P Z T P H W U T T J U
U I U F T H V S H A N D W A R M E R A T
A T G S R Q X M V C Y N R V R C H Z L H
B A L Z V S N H O J G N O L W K Y G G E
O G O B N I O J H R E Y J X B U A S U A
H K V S N E T T I M E R H S S Z W U F O
V Y E Z V Y F H S R B X N H S R T S E V
C H S V O S B S V E R M G S S R J X Y X
Y N N G C K Y U V T H Q C A R A S I S P
U C Y A M U O U O A W J K R W Y H E H M
T X O H D L S C D E G M R F Z Y O V K S
I F J A X E F F W N X K Q R H R C W S S
U H R N T U B B T S Q J J M S R E E L S
S J L A F M B W K S R A D W T N A G F K
W P C E C Q V O I R C M O D E T C F S U
O G R R Z S R G O K F N F L S U U A V C
N Y S U A W X G E T S F T H W M M I U F
S G D T F N E T F M S R I U R I E B L P
A V I O O I V L Y K U R J A K V A R F T
F I S W H K B M P T T Y E S Y J R Y S G
```

BOOTS
COAT
EARMUFFS
FUR
GLOVES
HAND WARMER
HAT
JACKET
LONG JOHNS
MITTENS
MUKLUKS
PARKA
SCARF
SKI MASK
SNOWSHOES
SNOWSUIT
SWEATER
SWEATSHIRT
TURTLENECK
VEST

Words for Blemish

```
H U Y O U E L K N R H G Z P Z B L W J I
E J X W J A Y L L U S D X J P D I Z G C
C V L F I T O P S B I F E T A C D Q R O
A T T N S P S Q T M B F N F C U N I M I
R Z Y Y C U M J E J D E A J E U E Z I T
G A S M O G E N I N N I T R M C A Q I E
S W N I C B R R X Y X D S X D Z T C N T
I A V K H N U J C L J L U C D H X S Q I
D B N C Y R P R B A U N O Q O P F K K S
O V I E V U M Z P D P K K P G L D P T Q
F R B P N L I E E I O B M S I V O A V T
M C Q S G B U D E S P S J T T M I R E I
U X S V Y R V G Q F P W G N A N P M U H
Z B Y H W G O D D I V G H I M J L S B
G J L Y N C G S A G B Z M S N T P I E S
B Y S M S L A M S U B B N Q T I N Y Z H
K R D D G G G K Z R B L W F L R W E L K
I R U T B E R J Q E J I O X A O D B B O
W Y J G E X Z A C Q M P N T L J V I K U
K G P K H D I S H O N O R F R K A O Q T
```

BLOT	DISFIGURE	IMPURE	STAIN
BLUR	DISGRACE	OBVIOUS	SULLY
DAUB	DISHONOR	PIMPLE	TAINT
DEFECT	FLOW	SPECK	TARNISH
DISCOLOR	GROSS	SPOT	ZIT

Words for Care

```
N I D D D L D A V L A A A L C Q O P M A
N P R E S E R V A T I O N O F T U K C T
H S E O M J W J I D B P N Q Q F G Q U T
S H A Y K L H G N D Z S Y H O Z H O S E
P G Y V J M B W W B I C F N Y H K W T N
R N A R C M W S O D G O F A F E F V O T
U U W W R Z G S E E O Q I H M G R E D I
D Q R A E O Q R H Y T E I X N A U R Y O
E X W R G W W T E D U T I C I L O S A N
N Z N I N V J B D P L X O N K A K V L N
C K U N A S G R Q P Z O N U S Y W D O U
E G U E A K W Q F J X X I E Z M K I R K
P B F S U W J E E O A L A R M J T T A K
J N Y S B O F K Z A R W C B E N H G J E
D E O T V F I W M L E E J A E E D I L C
L R E I O Q W G U E N O S V G X B B A W
E E A R T C O N C E R N E I B V U J R W
V O T G W U Z M W M Z R K N G O L K G Q
K A E V E C A E J P P C O B R H H A E O
Z M M U D R W C Y S T B P T L R T H E F
```

ALARM	CONSIDER	ONUS	SOLICITUDE
ANXIETY	CUSTODY	PRESERVATION	TROUBLE
ATTENTION	EFFORT	PREVENTION	WARINESS
CAUTION	FORESIGHT	PRUDENCE	WOE
CONCERN	HEED	REGARD	WORRY

Words for Dark

```
Q I Z L E Y S Q K Y B N F E Q B E X Y R
U V G A Z H M R C S Y E X E V W J Z C M
V Z Y C T T D Y J H M W S E U N O C Z L
R N M I E R V X S O E Y O O P N L Z H L
O G O T R A Z F F T Y C H D T X J I Q U
Y Y O A C W L W D J E K R X A T B Z Y F
K Y L M E S L D M K G R R S D H E U M W
S E G G S Q V T E K N C I U E H S D G O
U Z N I E U Q A P O U Q M O M K K E V R
D O I N K D I V I E E F Y U U G U Z E R
G H C E N V N L D M O M G Y U S R I B O
M Q K I C C Z A K V D T N B S C J C Z S
E Q L Z S G W D T W D D I T B H U S X T
N B N E D D I H M X B F D U Z Z C G J U
Z V F T B R I L W W Q W X Y A Y A V Y V
R X R L V G X S R A I Y H R G P A M C S
B F A N A Y Q G M M A M Q R N Y S O Y O
J C G E G G V P M A I G Y J O Y L E S S
K H P S K O D I J U L D P U P I K D E W
E O B S C U R E L U F N R U O M A F W A
```

BESOTTED   DISMAL   JOYLESS   OPAQUE

BLACK   DUSKY   MOURNFUL   SECRET

BLIND   ENIGMATICAL   MURKY   SHADOWY

DIM   GLOOMY   MYSTERIOUS   SORROWFUL

DINGY   HIDDEN   OBSCURE   SWARTHY

Words for Empty

```
H O D B D E H S I N R U F N U F A D B O
I M U N O B S T R U C T E D K K G R I N
N F I D L E U S M M B K C U Y E T S A W
Q A O H S P S N T F Y D O R Z D N C B B
I C X D E D I N I N V D E N O D N A B A
P P I A I R A Q U N Y A W Y R P M I B A
V O T O T C O X B N H P C X L T T X D Q
V L V H A X U V U W F A L U Y G V A A S
D E N V S T O I S N O R B T O J S E V H
D E Q T N J F S V U F D E I G U S X A I
N U D X J R E O X G E I Q Q T B S K B P
D I N N G L N G T S W X L P U E N N B C
L E U O E N H N T D O V F L Z E D H A V
N M T S C T I I H X L D Q I E L N R V O
T J N A H C T K T L L G R Q B D C T O Z
I E K F U U U A C N O N U E Q V D N E U
S N R J T C F P N A H T A S R O V K U D
X I P E J U A C I U L I M V V A S Q M U
L Z A Q S A W V U E Q H Z T A Q B U W B
K C I Q A K G R E W D J F R J O Z U G O
```

ABANDONED	HOLLOW	UNFILLED	UNOCCUPIED
BARE	IDLE	UNFREQUENTED	VACANT
DESTITUTE	LACKING	UNFURNISHED	VACUOUS
DEVOID	SENSELESS	UNINHABITED	VOID
EVACUATED	UNATTENDED	UNOBSTRUCTED	WASTE

Solutions:

Puzzle # 1

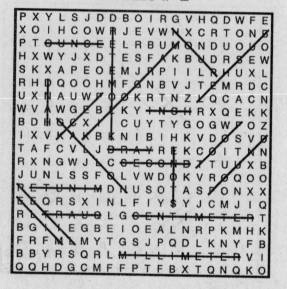

Puzzle # 2

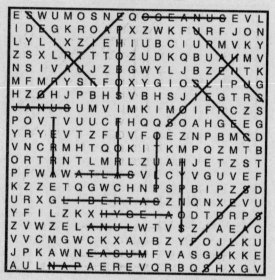

Puzzle # 3

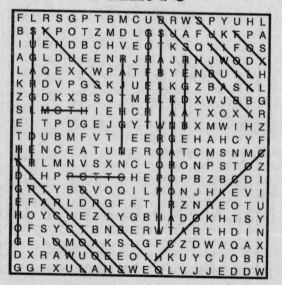

Puzzle # 4

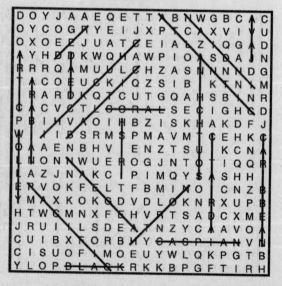

Solutions:

Puzzle # 5

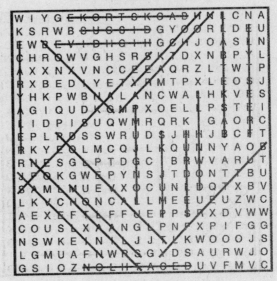

Puzzle # 6

Puzzle # 7

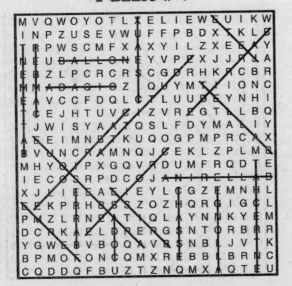

Puzzle # 8

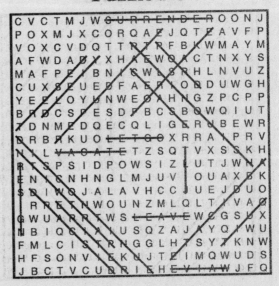

Solutions:

Puzzle # 9

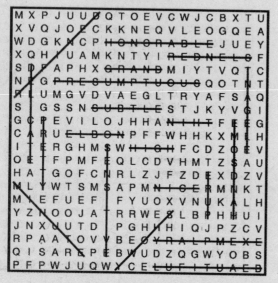

Puzzle # 10

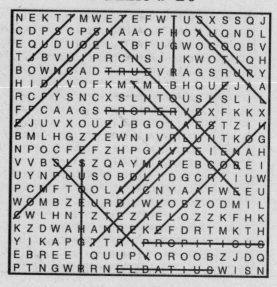

Puzzle # 11

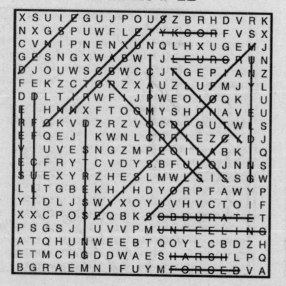

Puzzle # 12

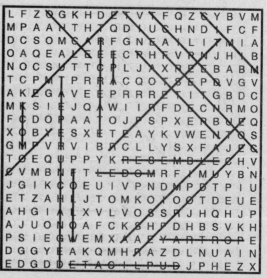

Solutions:

Puzzle # 13

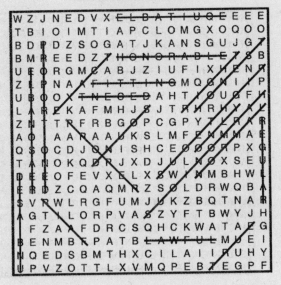

Puzzle # 14

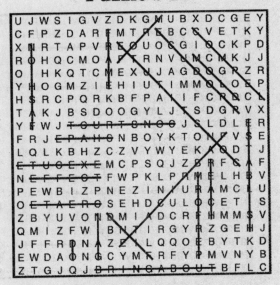

Puzzle # 15

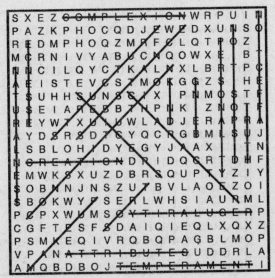

Puzzle # 16

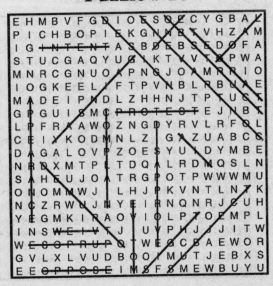

Solutions:

Puzzle # 17

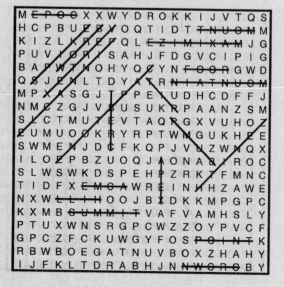

Puzzle # 18

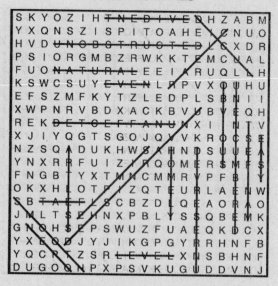

Puzzle # 19

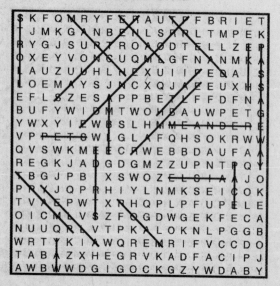

Puzzle # 20

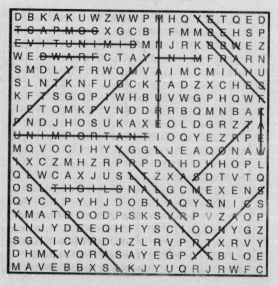

Solutions:

Puzzle # 21

Puzzle # 22

Puzzle # 23

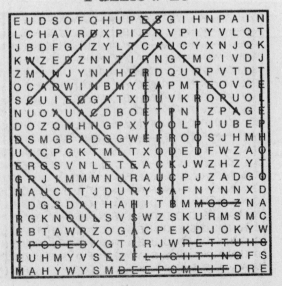

Puzzle # 24

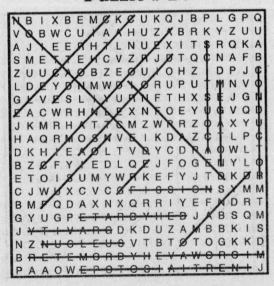

Solutions:

Puzzle # 25

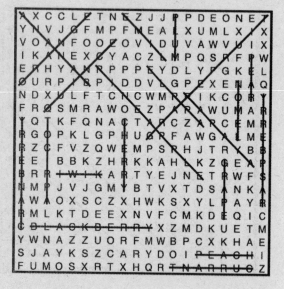

Puzzle # 26

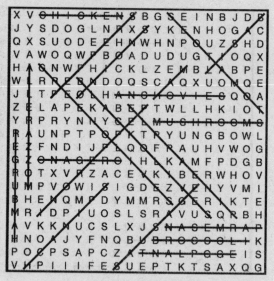

Puzzle # 27

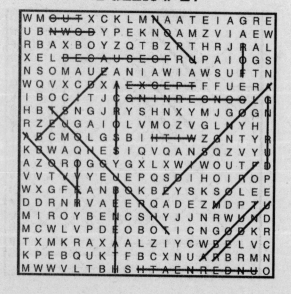

Puzzle # 28

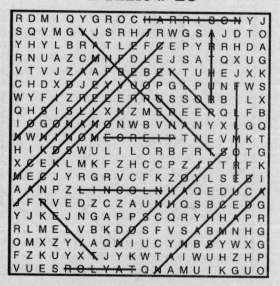

Solutions:

Puzzle # 29

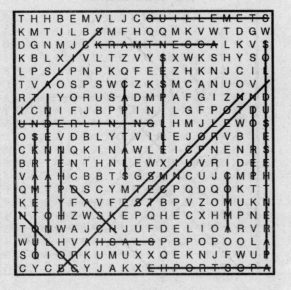

Puzzle # 30

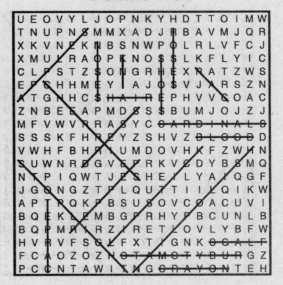

Puzzle # 31

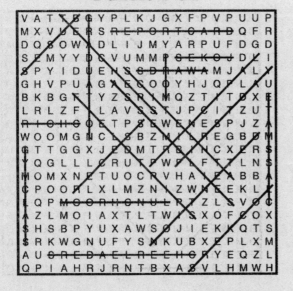

Puzzle # 32

Solutions:

Puzzle # 33

Puzzle # 34

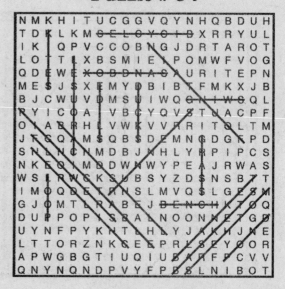

Puzzle # 35

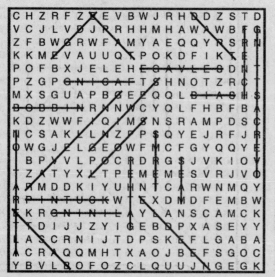

Puzzle # 36

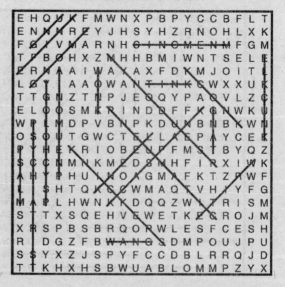

Solutions:

Puzzle # 37

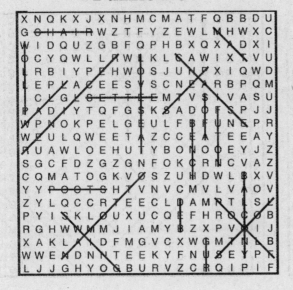

Puzzle # 38

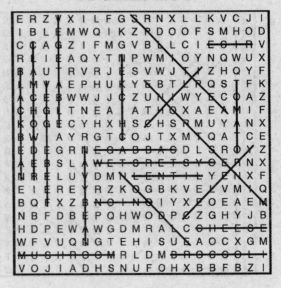

Puzzle # 39

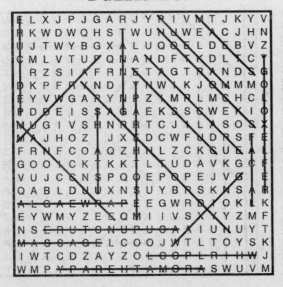

Puzzle # 40

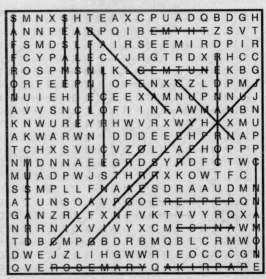

Solutions:

Puzzle # 41

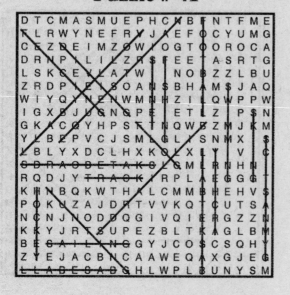

Puzzle # 42

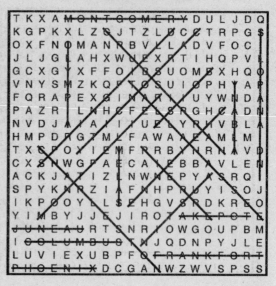

Puzzle # 43

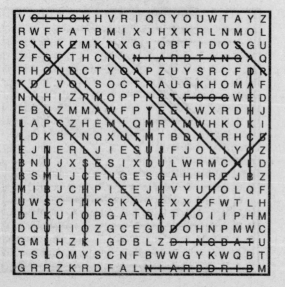

Puzzle # 44

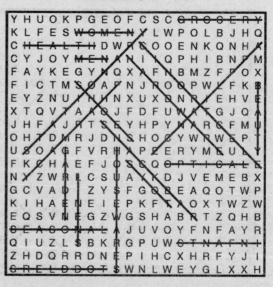

Solutions:

Puzzle # 45

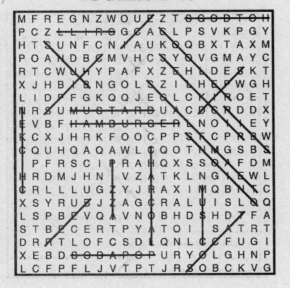

Puzzle # 46

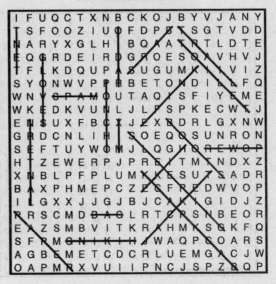

Puzzle # 47

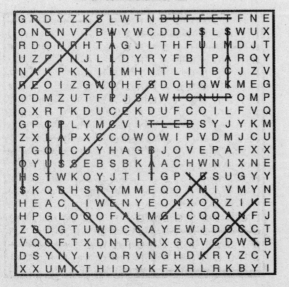

Puzzle # 48

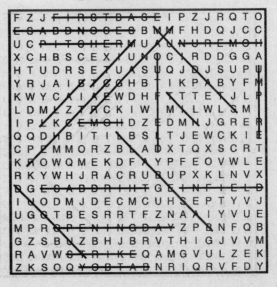

Solutions:

Puzzle # 49

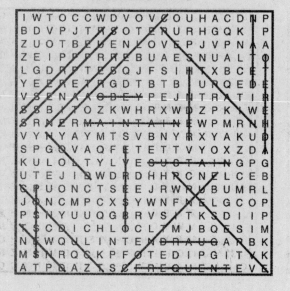

Puzzle # 50

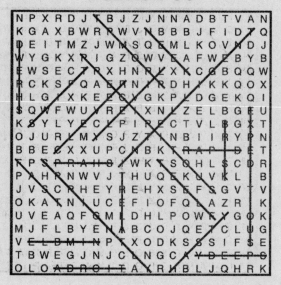

Puzzle # 51

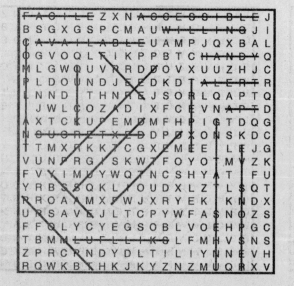

Puzzle # 52

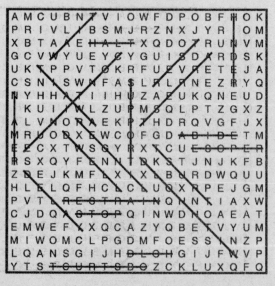

Solutions:

Puzzle # 53

Puzzle # 54

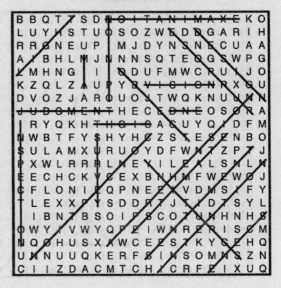

Puzzle # 55

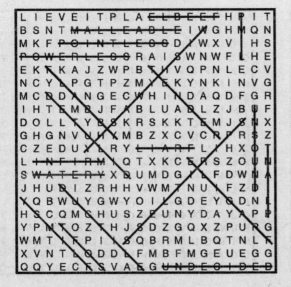

Puzzle # 56

Solutions:

Puzzle # 57

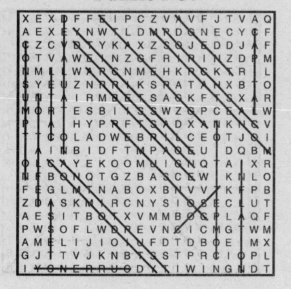

Puzzle # 58

Puzzle # 59

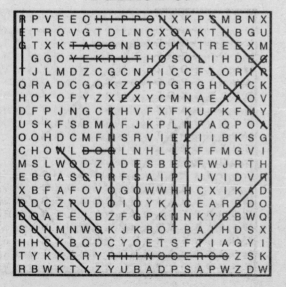

Puzzle # 60

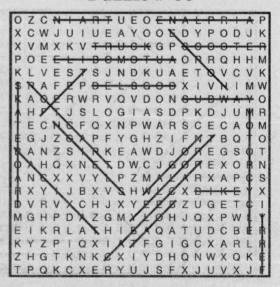

Solutions:

Puzzle # 61

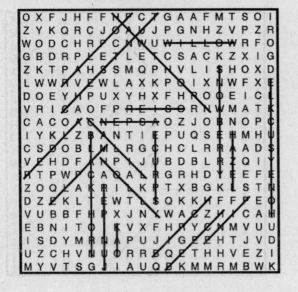

Puzzle # 62

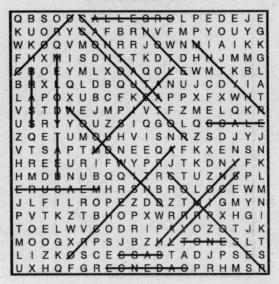

Puzzle # 63

Puzzle # 64

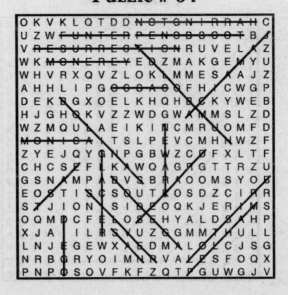

Solutions:

Puzzle # 65

Puzzle # 66

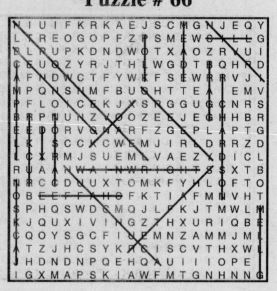

Puzzle # 67

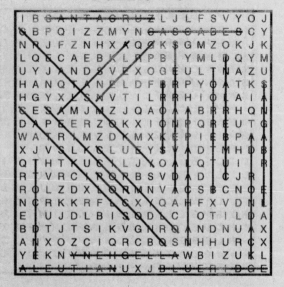

Puzzle # 68

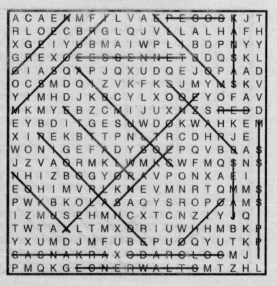

Solutions:

Puzzle # 69

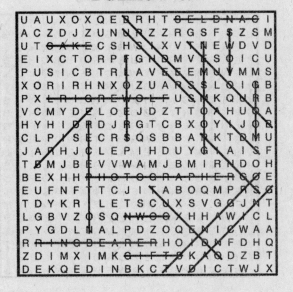

Puzzle # 70

Puzzle # 71

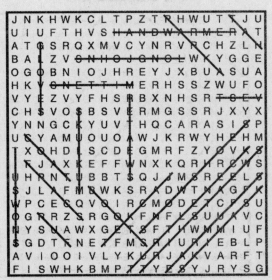

Puzzle # 72

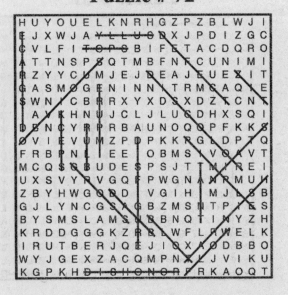

Solutions:

Puzzle # 73

Puzzle # 74

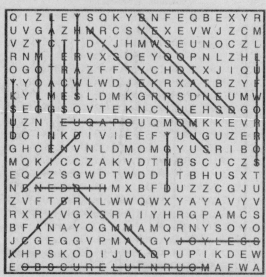

Puzzle # 75

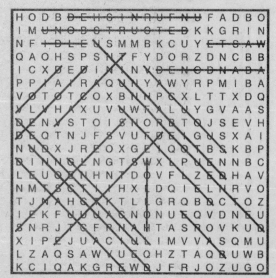